E I G H T Y

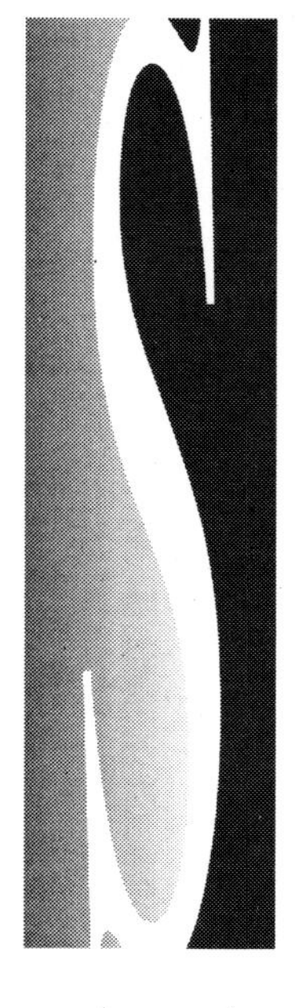

EIGHTY

LA MÉMOIRE DES ANNÉES QUATRE-VINGTS.

Au moment même où, la Biennale de Venise de 1990 décerne à l'italien Giovani Anselmo le Grand Prix de Peinture pour ses "toiles" de granit poli, et attribue le Grand Prix de Sculpture aux allemands Bernd et Hilla Becher pour leur travail fort, unique, exclusivement photographique, alors que l'exposition Aperto 90, toujours à Venise, présente les jeunes artistes internationaux sculpteurs, installateurs, ou petits bricoleurs, mais rarement peintres, il convient toujours et encore de se demander quelles sont aujourd'hui sur la scène internationale les raisons de l'intérêt porté à la "sculpture". Mais c'est dans d'autres lieux, encore à Venise, dans le cadre de la Biennale aussi, que l'émouvante brocante de mémoire de la rétrospective Fluxus nous rappelle la précarité de la création, la modestie et un certain humour que nécessite plus que jamais en 1990, l'intelligence avec l'œuvre de l'Art...

Gardant présent le souvenir de cette visite à la 44ème Biennale de Venise qui, à mes yeux, devrait être pour chacun le lieu d'une remise à jour de sa propre objectivité et de son humilité, présenter "les sculpteurs et installateurs des années quatre-vingts" me paraît présomptueux.

Les vingt artistes présents dans cet ouvrage ont été choisis avec la liberté éthique pour EIGHTY d'opérer un simple constat journalistique, sans parti pris. L'unique justification de ce choix est de rendre compte de la présence, sur la scène internationale, d'artistes reconnus pour importants dans les années quatre-vingts (certains l'étant déjà durant la précédante décennie).

Toute tentative de regroupement, toute entreprise de classification pour les mêmes raisons, nous paraissant réductrices, seule la pertinence d'un classement alphabétique révèlera la pluralité et, à la fois, l'universalité des œuvres de ces 20 créateurs, témoignage de la mémoire de cette décennie écoulée.

Des lectures multiples et personnelles que propose ce livre naîtra une réflexion ouverte autour de certitudes.

Il est sûr que la démarche critique "pure et dure" des artistes des années 70 s'est muée en des mythologies individuelles plus que collectives, en des créations plus libres, où l'engagement militant est moins radical, plus ludique et ironique, et les intentions plastiques et le savoir faire ne sont plus travestis.

Sans doute, au fil des pages, dicerne-t-on dans le travail encore minimaliste d'artistes comme Flavin ou Buren des tentations d'esthétisme, ou dans la tension des projets de Boltanski, de Merz, Paolini, Kounellis ou encore de Cragg, de Deacon ou même de Woodrow, dans l'utilisation des fragments d'objets détournés ou rebuts de la société, moins de souffrances latentes et plus de poésie et de l'humour parfois.

On remarque le retour à des matériaux traditionnels : la terre, le bois, le bronze, le marbre, et leur découverte jubilatoire pour des peintres comme Penck, Lüpertz, Paladino, pour certains de ces artistes la modernité pouvant s'accorder avec la statuaire classique.

Il semble que les artistes les plus jeunes aient une liberté incomparable avec une certaine rigueur des années 70 et que les ainés ne soient pas demeurés prisonniers de leur engagement premier, laissant libre cours à leur art et ne craignant pas dans leurs travaux "in situ" de s'adapter à la "commande", nécessitée par le cadre de l'installation.

Nouveau, le risque que prennent ces artistes d'occuper et de se confronter à la réalité de ces lieux d'expositions nés des années quatre-vingts. Là, chaque œuvre éphémère est refaite nouvelle, dans les usines, les entrepôts désaffectés, les abbayes désertées, bâtiments voués à la ruine et à l'oubli, alors que cette décennie aura aussi été, dans les musées traditionnels, celle des mises en scènes muséographiques d'architectes oublieux que seule l'œuvre d'art à pouvoir d'un souffle de vie et de parole.

Et nul doute que l'essence même de cet ouvrage est cette parole donnée conceptuelle ou poétique, mémoire de la sculpture des années quatre-vingts.

Catherine Flohic

MEMORY OF THE EIGHTIES.

With the 1990 Venice Biennale awarding the Italian artist Giovani Anselmo its major prize for painting for his "canvasses" in polished granite and its major prize for sculpture to Germany's Bernd and Hilla Becher for their unique, powerful, exclusively photographic work; with the Aperto 90 exhibition, also in Venice, which exhibits young international artists from all walks of art (sculptors, installation artists, small-time DIY artists, although hardly any painters) going as strong as ever, it may be wondered once more why there is still such an interest in "sculpture". But, everywhere, and nowhere more than in the Venice Biennale, in particular in the moving paraphernalia of memories which was the Fluxus retrospective, we are reminded of the transience of all creation, of the humour needed - in 1990 more than ever - to commune with the work of art...
With my visit to the 44th Venice Biennale still fresh in my memory - an event which, in my opinion, should make all of us reconsider our own views and test our humility - I think it would be presumptuous of us to set out to present "The Sculptors and Installation Artists of the Eighties". Only our desire and moral duty - and freedom - as the team behind EIGHTY to present the reader with an unbiased record of the strong, unanimously recognized proponents of contemporary art, a mere journalistic description, can possibly justify the choice we made to include these twenty artists in the present book.
Any attempt at classification struck us as equally uncalled for, which is why we left it to alphabetical order to reveal both the diversity and universality of the twenty artists, who all bear witness to the memory of a bygone decade. From the manifold, idiosyncratic readings of the works offered by the book, it is hoped that certainties will be questioned, freely and openly.
What is certain is that the die-hard critical approach of artists of the seventies has given way to myths much more personal, less collective, to more freedom, less militancy, more playfulness and irony, with the result that artistic intention and know-how are no longer dissimulated.
Some will subsequently probably see in the still minimalist works of artists like Flavin and Buren something of the temptation of an aesthetic sense; others will agree that in the tension of works by Boltanski, Merz, Paolini, Kounellis as well as Cragg, Deacon and Woodrow, in their use of discarded objects and leftovers from society, there is less latent suffering, more poetry - and more humour. Many will notice the return of traditional materials such as clay, wood, bronze or marble in the work of most artists and their exhilarating discovery by painters (Penck, Lüpertz, Paladino), most viewing modernity as perfectly reconciliable with classical statuary. Most younger artists appear to savour a freedom in sharp contrast to a certain rigourism prevalent in the seventies while the elder generation seem to have broken free of their original commitment to give free rein to their regained sense of freedom, no longer fearing (in their works *in situ*, for example) to adapt to commissions made necessary by the very concept of installation art. Nor do these artists shirk the danger, new to them, of taking possession of and coming face to face with the conditions of the exhibition in loci typical of the eighties, where each transient work is made new, namely disused factories and warehouses, deserted abbeys, buildings doomed to ruin and oblivion. And this at a time which will also go down in history as the time of the great shows put together in the traditional museums by architects prone to forget that only the work of art has power, power to breathe forth life, power of utterance. And it is this utterance, at once conceptual and poetic, this memory of sculpture in the eighties, which this book ultimately aims to convey.

Catherine Flohic

PLUS VASTE QUE LA PEINTURE ET BEAUCOUP PLUS VASTE QUE LA SCULPTURE...

Qu'est-ce que la sculpture ? Est-ce du modelage, de l'assemblage, de la taille, de la collecte, du concept ? La "sculpture sociale" rêvée par Beuys a-t-elle le moindre point commun avec un emballage de Christo, un environnement en céramique blanche de Jean-Pierre Raynaud, une mécanique de Tinguely, un bloc d'acier corten de Serra, une figurine peinte ou non par Paolini ou Paladino ?
A vrai dire, parmi les vingt créateurs présentés dans ce livre, rares sont ceux qui se déclarent explicitement "sculpteurs" ou même "installateurs". Il leur suffit d'être artistes, et bien souvent c'est à partir d'une réflexion sur la peinture, non la sculpture, que s'est progressivement élaborée leur pratique, à moins qu'elle ne soit issue d'une préoccupation sociologique avant de faire retour vers l'esthétique, comme c'est le cas pour Christian Boltanski.
Dan Flavin et Sol LeWitt, par exemple, étaient encore peintres en 1960. La troisième dimension est littéralement sortie de l'espace pictural du second, en 1962, avec "Wall Structure Black" et "Wall Structure White" qui apparaissaient comme de simples monochromes noir et blanc à partir desquels jaillissait un parallélépipède de bois fixé en leur centre.
Ni peintres, ni sculpteurs, les artistes minimalistes entendent depuis lors produire de l'art, simplement. Ils ont rompu tous les liens avec les métiers et traditions spécifiques de la peinture ou de la sculpture, et font de l'art générique, ce qui leur a valu bien entendu la comdamnation de Clément Greenberg, qui entendait que l'épuration réductionniste de l'art se place dans le champ particulier de chaque pratique traditionnelle.
Au minimalisme américain a correspondu, depuis 1967, l'Arte Povera italien avec surtout Mario Merz et Kounellis qui, eux non plus, ne s'inscrivent dans aucune pratique spécifique. En exaltant le matériau brut, ils ont voulu tirer de sa pauvreté une "haute charge d'énergie" (selon les termes de Germano Celant), capable de régénérer les valeurs et les procédures de l'art.
La nouvelle sculpture allemande procède d'une histoire bien différente, mais Lüpertz, Baselitz, Penck (et Kirkeby qui se rattache à leur courant) proposent des œuvres refusant toutes les catégories traditionnelles de la sculpture (modelé, transitions, traitement de l'espace), qui les intègrent tout de même dans la tradition inaugurée par Degas, Gauguin, Matisse et Picasso : celle des peintres assumant au premier rang la sculpture du XXe siècle
Tous les néo-expressionnistes allemands s'expriment essentiellement par des figures isolées, comme Picasso, et rejettent les préoccupations minimalistes exclusivement attentives à la spatialité des matières. Ainsi Lüpertz n'a-t-il pas hésité, au début de sa carrière, à réunir dans la même œuvre un grand tableau et une sculpture en béton.
A la nouvelle sculpture allemande semble faire écho une "nouvelle sculpture britannique". Mais les travaux de Woodrow, Deacon et Tony Cragg ne sont certainement pas "britanniques" de manière consciente, et ils ne sont ni formellement, ni techniquement "nouveaux". Ils s'inscrivent dans une esthétique moderniste connue et affirment une conception de la sculpture comme objet stable qui les rapproche de la tradition. Tous les trois, en tout cas, se sont définis en s'opposant à leur aîné Richard Long, dont toute la démarche tend à établir, à partir du paysage, une temporalité à historique et universelle. A Richard Long faisant naître un ordre symbolique à partir du chaos et de l'informe, sans la moindre trace d'activité humaine, réplique un Tony Cragg présentant en 1981, à la Whitechapel Gallery et non loin des œuvres du maître, cinq bouteilles vides en plastique. Ces bouteilles faisaient ironiquement allusion à "Driftwood Line" de Richard long, exposée exactement au même endroit quatre ans plus tôt. Les jeunes britanniques font référence au monde urbain, mais ils vont plus loin que le constat et, à la suite

de Beuys qui les a influencés, dénoncent une "nature" de plus en plus fabriquée par l'homme.
Joseph Beuys et Daniel Buren apparaissent comme les figures dominantes de l'art des années 80, alors que leurs démarches respectives n'ont rien en commun, si ce n'est leur mépris des catégories traditionnelles de l'art.
Beuys a voulu fonder une nouvelle anthropologie : l'anthropologie artistique. Ses objets constituaient des analogies des forces fondamentales qui conduisent l'humanité. Le musée n'était conçu, dans cette perspective, que comme champ expérimental pour ses modèles sociaux, et il demandait que l'on renonce à l'art des musées, dont l'existence autonome lui paraissait étrangère à la réalité de la vie. Beuys élargissait le concept de l'art aux dimensions du monde tel qu'il est façonné par les humains. Visionnaire, il pouvait aussi passer pour utopiste.
Daniel Buren s'oppose lui aussi au musée et à l'art qu'il contient, mais dans une optique différente. L'élargissement radical de la vision auquel il se livre met en cause toute la peinture (ici encore : la peinture, non la sculpture) en tant que "fait réducteur de l'art".
Un travail de Buren est non seulement une proposition plastique évidente, une œuvre capable de faire par elle-même la démonstration plastique de sa capacité de produire un rapport neuf à la forme, mais aussi un outil critique.
En tout cas, on ne peut pas plus en dire que c'est de la sculpture qu'on ne pouvait l'affirmer des œuvres des minimalistes des années 60.
Serions-nous revenus, en ce début des années 90, au constat que formulait Donald Judd dans son manifeste de 1965 ? ("Specific objects" : "la moitié au moins du meilleur travail de ces quelques dernières années n'était ni de la peinture ni de la sculpture." Judd désignait de la sorte notamment Oldenburg, Chamberlain, Stella, Dan Flavin, Robert Morris et sans doute lui-même. Aujourd'hui , il est peut-être possible de dire que les deux tiers "au moins" des travaux les plus représentatifs de ces dernières années, hors le champ "spécifique" de la peinture, n'appartiennent pas non plus au champ "spécifique" de la sculpture. Ils sont délibérément ailleurs, et usent avec une certaine jubilation du surplus de liberté ainsi conquis.
Ils paraissent ainsi réaliser les prédictions de Donald Judd : "L'usage des trois dimensions n'est pas l'usage d'une forme donnée. Il n'y a pas encore assez de temps ni de travail pour qu'on voie les limites (...). Puisque son domaine est si large, le travail tri-dimensionnel se divisera probablement en plusieurs formes.
De toute façon, il sera plus vaste que la peinture et beaucoup plus vaste que la sculpture..."

Jean-Luc Chalumeau

LARGER THAN PAINTING AND MUCH LARGER THAN SCULPTURE...

What is sculpture? Is it modeling, assemblage, carving, collecting? Is it concept? Has "social sculpture" as dreamt up by Beuys anything at all in common with a wrapping by Christo, an environment in white ceramics by Jean-Pierre Raynaud, a mobile by Tinguely, a block of Corten steel by Serra, a figurine - painted or not - by Paolini or Paladino?

In fact, of the twenty artists featured in this book, hardly any view themselves as "sculptors" or even "installation artists". It is enough for them to be artists and in most cases their work has gradually evolved from their reflection on painting, not sculpture, or - as in the case of Christian Boltanski, from a social concern turned into aesthetics.

Take men like Dan Flavin or Sol LeWitt; both were still painting in 1960. But in 1962, with "Wall Structure Black" and "Wall Structure White", plain back and white monochromes out of white jutted forth a wooden parallelepiped stuck in their centre, the third dimension literally jumped out of LeWitt's pictorial space.

Describing themselves as neither painters nor sculptors, minimalist artists have since insisted on producing art, purely and simply. Breaking free from the trades and traditions specific to both painting and sculpture, they started to produce generic art, incurring as they did so the condemnation of Clement Greenberg who wanted the reductionist stripping off of art to take place within the confines of either one or the other of the two time-honoured practices.

After 1967 American minimal art found an echo in Italian *Arte Povera,* in particular with artists like Merz or Kounellis whose work could not be ascribed to one particular practice either. By exalting material in the raw, they hoped, in the words of Germano Celant, to extract from its very humbleness "a high potential of energy" capable of rejuvenating the values and processes of art.

Even though new German sculpture belongs to a different category altogether, artists like Lüpertz, Baselitz, Penck and even Kirkeby (who can be related to the movement they initiated), all offer works breaking away from all the traditional categories of sculpture (modelling, transitions, treatment of space) while remaining firmly rooted in the tradition inaugurated by Degas, Gauguin, Matisse and Picasso, ie., those *painters* whose claim to twentieth century *sculpture* is real.

All German neo-expressionists use, like Picasso, the isolated figure as their main idiom and discard minimal art solely concerned with materials as space. Early in his career, Lüpertz, for example, had no qualms about bringing together a large painting and a sculpture in concrete in a single work.

New German sculpture, or so it seemed, soon found an echo in what can only be termed "New British Sculpture". The works of Woodrow, Deacon and Tony Cragg, however, are certainly not "British" out of some conscious effort; nor are they "new" from a formal or technical point of view. All three position themselves in a recognizable modernist stance and vindicate a conception of sculpture as a stable object linked to a tradition. What is certain is that all three came to maturity in opposition to their predecessor Richard Long, whose whole ambition was, while working on the landscape, to arrive at a historical, universal temporariness. To Richard Long attempting to conjure up some symbolical order out of formlessness and chaos, without the slightest inkling of human activity, Tony Cragg answered in 1981 by presenting at the Whitechapel Gallery - with the Master just at a stone's throw, too - five empty plastic bottles, an ironical allusion to Long's "Driftwood line", exhibited at exactly the same place five years before.

Young British artists refer to urban life but move beyond mere description to expose, in the wake of Beuys by whom they were influenced, a so-called "nature" which they see as more man-made.

Although they have very little in common except their common contempt for the traditional categories of art, Joseph Beuys and Daniel Buren emerge as the true leading figures of the decade. Beuys intention was to found a new anthropology: art anthropology. He wanted his objects to be seen as similes of the fundamental forces that lead mankind on. As a result, he conceived the museum as a mere testing ground for his social models and demanded that museum art, whose existence *per se* struck him as utterly removed from real life, be abandoned altogether. Beuys extended the concept of art to include all the world at large as shaped by human hands. A visionary artist, he also ran the risk of being seen as an utopian.

Daniel Buren also opposes the museum and the art it contains, but from a different angle. The radical widening of the field of vision he purports to achieve questions the entire world of painting - again, of painting, not sculpture - of painting as "one of the factors of the impoverishment of art".

Apart from being an obvious plastic proposition, a work by Buren is capable of demonstrating by itself - and in plastic terms - its ability to produce not only a novel relationship to form, but also a new critical instrument.

Whatever that may be, his works cannot be described as sculpture any more than works by minimalist artists in the sixties could be referred to as sculpture. Could it be that with the nineties now before us we have come full circle only to be be faced with the observation made by Donald Judd in his 1965 manifesto *Specific Objects?*: "At least half of the best work of the last few years was neither painting nor sculpture". Judd had in mind people like Oldenburg, Chamberlain, Stella, Dan Flavin, Robert Morris and also probably himself. Today, it can be argued that two thirds "at least" of the most representative works of the last few years outside the "specific" field of painting, fail equally to qualify as sculpture. They definitely belong elsewhere, and make a rather jubilant use of the extra freedom they have thus conquered for themselves.

Indeed, they seem to have made Donald Judd's predictions come true: "The use of the three-dimensional is not the use of any given form. Not enough time has yet elapsed, not enough work has been produced, for us to say where it will stop (...)

Because it has such a wide field of action, three-dimensional work will probably split into several forms.

Well, anyway, it will be larger than painting and much larger than sculpture..."

Jean-Luc Chalumeau

Textes de Véronique SCHMELLER
Traductions de Jean-Yves LE DISEZ et Carys LEWIS

Texts by Véronique SCHMELLER
Translated by Jean-Yves LE DISEZ and Carys LEWIS

Joseph BEUYS

Christian BOLTANSKI

Daniel BUREN

CHRISTO

Tony CRAGG

Richard DEACON

Barry FLANAGAN

Dan FLAVIN

Yannis KOUNELLIS

Sol LEWITT

Richard LONG

Markus LÜPERTZ

Mario MERZ

Mimmo PALADINO

Giulio PAOLINI

A.R. PENCK

Jean-Pierre RAYNAUD

Richard SERRA

Jean TINGUELY

Bill WOODROW

Joseph BEUYS est né à Crefeld en 1921. Il est mort à Düsseldorf en 1986.

Joseph Beuys manifeste très tôt de l'intérêt pour les sciences naturelles et après son baccalauréat, il s'oriente vers des études médicales, mais la guerre éclate et il est incorporé comme pilote dans la Luftwaffe. En 1943, son avion est abattu au-dessus de la Crimée, il est recueilli par des Tatars qui, pour le soigner l'entourent dans des couvertures de feutre. Cet épisode le marque profondément et influencera son œuvre à venir, l'usage du matériau feutre demeurant essentiel dans son travail.
A la fin de la guerre, de retour à Clèves, Beuys entreprend alors des recherches en botanique et en zoologie. Mais très vite le souvenir d'une sculpture de Wilhelm Lehmbruck, entrevue dans une revue avant la guerre, le pousse à entreprendre des études artistiques "... j'ai vu une sculpture de Wilhelm Lehmbruck. Et j'ai immédiatement eu cette idée, comme une intuition : la sculpture (...) qui m'a accompagné durant toute la guerre, et m'a conduit, après celle-ci, à me confronter à la sculpture, au travail plastique. J'ai donc entrepris des études artistiques — je ne savais absolument pas ce que c'était". Joseph Beuys suit donc les cours de l'Académie des Beaux-Arts de Düsseldorf de 1946 à 1951, réalisant alors de nombreux dessins, aquarelles et quelques sculptures qui déjà sont une anticipation de son travail ultérieur.
A cette époque il définit sa démarche : "l'élargissement du champ de la langue est l'impulsion première de ma recherche en dessin".
Vers 1955, Beuys traverse une période de crise. Il doute et remet en question son travail, il s'isole alors à la campagne et travaille dans les champs. "Les événements de la guerre jouaient certainement un rôle, mais aussi des choses actuelles. Au fond, il fallait que quelque chose meure. Je crois que cette phase a été pour moi une des plus importantes... (...) traverser la matière, faire l'expérience du processus de la mort est nécessaire pour régénérer ses forces et redevenir créatif".
Revenu ainsi à la vie, dans les années 58-60, Joseph Beuys travaille à partir d'un ensemble de matériaux qui selon lui appartiennent à un même "processus énergétique" : feutre, cuivre, bois, miel, graisse... leur attribuant la double charge symbolique de la vie et de l'œuvre d'art. Il se sert de ses connaissances scientifiques par exemple le travail des abeilles dans la ruche, pour expliquer sa démarche plastique "... à l'intérieur de cette organisation calorifique, il y a des formes parfaitement plastiques. D'une part les abeilles créent un élément calorifique (le miel), qui est un élément très fluide, d'autre part, elles engendrent des formes plastiques, qui sont cristallisées..."
L'influence de Beuys déjà très importante pour les jeunes artistes se renforce lorsqu'en 1961, il est nommé professeur de sculpture à l'Akademie de Düsseldorf. Il rejoint à cette époque le mouvement Fluxus et comme les artistes de ce groupe ses actions et ses interventions multiples mêlent poésie, musique, arts plastiques...
La composition sibérique, premier mouvement (1963) est la première action Fluxus de Beuys. L'action débute par un morceau de piano, suit une pièce de Satie, Beuys suspend alors un lièvre mort à un tableau noir, il relie l'animal au piano, puis retire le cœur de celui-ci. "Je veux exprimer une relation signifiante pleine de contenus autour de la naissance et de la mort".
Au cours des années 60, Beuys fait de nombreuses interventions symboliques et spectaculaires qui marquent son époque, notamment *Comment expliquer un tableau à un lièvre mort* (1965), où sorte de Shaman, il officie le visage peint de miel et de poudre d'or.
Joseph Beuys prolonge sa réflexion par son engagement politique. Il fonde le Parti Etudiant Allemand en 1967, et participe à la création de l'Université libre de Berlin en 1974 et il est même candidat au parti écologiste des Verts en 1980.
Pour Beuys, la frontière est abolie entre l'art et la vie, et la création artistique est inséparable de la vie sociale et politique auxquelles elle sert de modèle. "Le rôle de l'éducation esthétique de l'homme est ainsi de réaliser la liberté, non seulement sous la forme d'œuvre d'art, mais encore sous la forme de la vie elle-même". Beuys poursuit ses interventions : *Coyote : I like America and America likes me* à New York en 1974, *Honey pump* (1977)... actions qui font de lui un grand artiste pour certains, un acteur de génie pour d'autres. En 1976, il participe à la Biennale de Venise et en 1977 à la Documenta de Kassel. En 1979, le Guggenheim Museum de New York lui consacre une rétrospective. De nouveau présent à la Biennale de Venise en 1980, Joseph Beuys y présente *Das Kapital* et en dépit de cette reconnaissance internationale, Beuys poursuit sa démarche ne se contredisant nullement.
En 1984, action symbolique, il projette de planter des arbres dans les abords du port de Hambourg, et d'installer là ses blocs de basalte de *Ende des 20 Jahrhunderts* (la fin du 20e siècle), souhaitant accompagner cette installation de débats écologiques, mais son projet est refusé par la municipalité. Beuys poursuit à Paris, à Londres ses installations, qui sont de réels événements, puis il meurt le 23 janvier 1986, à Düsseldorf.
Depuis, ses œuvres acquises par les musées ou les collectionneurs — souvent pièces ou parties détournées de l'ensemble de l'œuvre originale — prennent parfois valeur de reliques. Ses interventions filmées avec Fluxus et le vidéo art perpétuent le souvenir de ses actions. Beuys est devenu aujourd'hui sorte de mythe de l'histoire de l'art de cette fin du XXe, dans sa remise en question même.

Beuys showed an early interest in natural science and after completing high school went on to study medicine. However, with the outbreak of war, he was drafted as a pilot in the Luftwaffe. In 1943 he was shot down over Crimea and taken in by some Tartars who nursed his wounds by wrapping him in felt blankets. This episode in his life was to leave a deep impression on him and influenced his future work in which felt played a major role. At the end of the war he returned to Kleve and began research in botany and zoology. Yet the memory of a sculpture by Wilhelm Lehmbruck he had chanced upon in a magazine before the war was to haunt him and guide him towards art studies: "I saw a sculpture by Wilhelm Lehmbruck. And the idea immediately crossed my mind, a kind of intuition — sculpture... It remained with me for the whole of the war years and led me subsequently to confront sculpture and the work of the artist. I therefore took up art studies, not knowing exactly what this meant". He took classes at the Academy of Fine Arts in Düsseldorf from 1946 to 1951, producing a number of drawings, watercolours and a few sculptures that were already the premises of his work to come. At the time he described his approach in these terms: "The enlarging of the field of language is the main impetus behind my research in drawing".
Around 1956 Beuys sank into a period of crisis: doubts set in and he began to question his work. He decided to withdraw to the countryside and work in the fields: "The events of the war probably had a lot to do with this, but the events of that time played an important role too. At heart, something had to die. I think this phase was one of the most important for me (...) cutting across matter, experiencing the process of death is necessary to regenerate new forces and become creative once again". Thus brought back to life, in the years 1958-60 Beuys worked with a variety of materials that all belonged, in his words, to the same "energy process": felt, copper, wood, honey, grease. He conferred upon them a twofold burden of symbols of both life and the work of art. He used his knowledge of science, such as the activities of bees in a hive, to explain his artistic approach: "... inside this calorific organization, there are forms that could be considered as perfectly acceptable in art. On the one hand, the bees produce a calorific element — honey — which is an extremely fluid element and, on the other hand, they give birth to artistic forms which are crystalized". Beuys's already considerable influence on young artists was heightened when, in 1961, he was appointed lecturer on sculpture at the Akademie in Düsseldorf. It is at this time that he joined the *Fluxus* movement and, like many of the artists of this group, a great deal of his actions and interventions were a blend of poetry, music and the visual arts. *Siberian composition, first movement* (1963) is Beuys's first production with *Fluxus*. The action begins with a chunk of piano, followed by an extract of a piece by Satie, then Beuys hangs a dead hare on a blackboard, ties the animal to the piano and pulls its heart out: "I want to express a meaningful relationship full of content between birth and death". During the sixties he made several of these symbolic and spectacular 'interventions' which left a deep imprint on those times, notably *How to explain a painting to a dead hare (1965),* in which Beuys played the leading role, like a sort of shaman, his face daubed in honey and gold dust. His political commitments were further means for him to pursue his reflection. In 1967 he set up the German Student Party and took part in the setting up of Berlin's Free University in 1974. He even stood as a candidate for the Green Party in 1980. For Beuys the thin line between art and life had vanished, for artistic creation is undissociable from political and social life for which it serves as a model: "The purpose of the aesthetic education of man is therefore to achieve freedom, not only in the form of the work of art but also in the form of life itself". There were more interventions to come: in 1974 in New York, *Coyote: I like America and America likes me* and *Honey Pump* in 1977, in which some recognize him as a great artist and others simply proclaim him a genius! In 1976 he took part in the Venice Biennale and the Documenta in Kassel. In 1979 New York's Guggenheim Museum mounted a retrospective of his work. A year later he once again put in an appearance at Venice with *Das Kapital,* and despite considerable international acclaim, continued unwavering in his artistic approach. In 1984, in a highly symbolical gesture, he planned to plant trees in the vicinity of the port of Hamburg to locate his blocks of basalt called *Ende des 20 Jahrhunderts* (The End of the Twentieth Century) there. He had also planned to hold debates on ecology around his installation. However, the city authorities turned down his scheme, so Beuys went on to complete his installations in Paris and London. These works have taken on the mantle of great events since the artist's death on January 23, 1986 in Düsseldorf.
Four years later, the works by Beuys acquired by museums and private collectors — often pieces or parts of a sculpture diverted from the whole of the original work of art — have at times been given the status of relics whilst his interventions on film with *Fluxus* and the video art perpetuate the memory of his actions.
Beuys has today become a sort of myth in the art history at the close of the twentieth century through his questioning of his own work.

DEFENSE DE LA NATURE. 1982.
DEFENCE OF NATURE.
Courtesy Anthony d'Offay Gallery, London.

Joseph BEUYS

LA FIN DU VINGTIÈME SIÈCLE. 1985. 31 roches de basalte, feutre, argile.
THE END OF THE 20TH CENTURY. 31 basalt stones, felt, clay.
Courtesy Anthony d'Offay Gallery, London.

Joseph BEUYS

IL S'AGIT D'UN VÉLO ? 1982.
IT'S ABOUT A BICYCLE?
Courtesy Marianne et Pierre Nahon Galerie Beaubourg, Paris.

DERNIER ESPACE AVEC INSTROSPECTEUR. 1964-82.
LAST SPACE WITH INSTROSPECTOR.
Installation Galerie Durand-Dessert, Paris. Courtesy Galerie Durand-Dessert, Paris.

Joseph BEUYS

BAIGNOIRE. 1985. Bronze, plomb, cuivre. 90 x 140 x 340.
BATH. Bronze, lead, brass.
Courtesy Galerie Bernd Klüser, Munich.

TABLE AVEC ACCUMULATION. 1985.
TABLE WITH ACCUMULATION.
Courtesy Galerie Isy Brachot, Paris.

Joseph BEUYS

TRISTE SITUATION. 1958-85. Installation.
PLIGHT.
Courtesy Anthony d'Offray, London.

ECHELLE LIBRE. 1985. 183 x 90 x 40.
FREE LADDER.
Courtesy Galerie Amelio Lucio, Naples.

Christian BOLTANSKI est né à Paris en 1944. Il vit et travaille à Paris.

Si Christian Boltanski se définit comme peintre, il a pourtant cessé de peindre vers 1967. Jusque là, il avait réalisé des tableaux de grand format, sur le thème de Peintures d'Histoire et d'événements dramatiques. A la fin des années soixante, il introduit d'autres moyens d'expression dans son œuvre : la fabrication d'objets, l'écriture, la réalisation de films et l'utilisation de la photographie, qui peu à peu, deviendra son matériau privilégié. En 1968, il présente son premier film : *La vie impossible de Christian Boltanski,* en forme d'autobiographie, l'année suivante, il aborde la photographie dans deux petits livres : *Recherche et présentation de tout ce qui reste de mon enfance* et *Reconstitution d'un accident qui ne m'est pas encore arrivé et où j'ai trouvé la mort.* "Au début, je m'intéressais surtout à la propriété donnée à la photographie de paraître fournir la preuve du réel : un spectacle photographié est ressenti comme vrai ; les photographies me servaient alors de preuves de l'existence du personnage mythique que j'avais créé, Christian Boltanski".

Boltanski lui-même continue sa réflexion sur l'enfance, sur son enfance, il réalise en plastiline des objets lui ayant autrefois appartenu qu'il présente dans des tiroirs et qui, dans leur vitrine, comme beaucoup de futures installations, évoquent des collections d'ethnologie. "J'ai très peu de souvenirs d'enfance, et je crois que j'ai entrepris cette apparente autobiographie précisément pour effacer ma mémoire et pour me protéger. J'ai tellement inventé de faux souvenirs, qui étaient des souvenirs collectifs, que ma propre enfance a disparu. Mais, très vite, j'ai montré que mes souvenirs étaient faux, que le personnage de Christian Boltanski n'avait pas de réalité tangible".

En 1971, l'*Album de la famille D.,* réalisé à partir des photographies de famille d'un ami, rephotographiées et classées par Boltanski, est présenté à la Documenta V à Kassel. Avec cette œuvre, Boltanski insiste sur la stéréotypie banale et dérisoire de la photographie en particulier de la photo d'amateur. "Dans la plupart de mes pièces photographiques, j'ai utilisé cette propriété de preuve que l'on donne à la photographie, pour la détourner ou pour essayer de montrer que la photographie ment, qu'elle ne dit pas la réalité mais des codes culturels".

A partir de cette constatation, Boltanski propose à 62 conservateurs de musées de réunir dans une salle, tous les objets ayant pu appartenir à quelqu'un "des mouchoirs à l'armoire". Il invente ainsi des mémoires, des témoignages à partir d'objets banals et anodins, il crée *Les habits de François C.* (1972), et *Inventaire des objets ayant appartenu à une femme de Bois-Colombe* (1974). Puis Boltanski imagine avec des photos noir et blanc, pourvues d'une légende : une mise en scène montrant Boltanski lui-même mimant des scènes et des personnages de son enfance. "J'ai eu le désir de détruire le mythe, et de le détruire par la dérision. Alors un jour, de prêcheur je suis devenu clown, dans les Saynètes comiques. C'était un premier pas vers devenir artiste : je racontais les mêmes histoires qu'avant, mais sur un mode totalement dérisoire... J'ai désiré dire : j'ai tué mon personnage, je me suis fondu dans la foule, je ne suis plus rien."

Boltanski crée ensuite *Belles images, Compositions photographiques* (1976) en couleur et de grand format. Aux *Compositions photographiques* succèdent les *Compositions japonaises,* puis les *Compositions architecturales* qui intègrent des pièces de jeu de construction et les *Compositions théâtrales* dans lesquelles l'artiste fabrique ses objets. Les œuvres de Boltanski, ces dernières années, ont pris un tour plus grave.

Ainsi au Kunstverein de Düsseldorf en 1987, dans une pièce aveugle, des photographies de visages d'enfants, grossis à l'extrême, sont disposées sur des socles, des vieilles boîtes rouillées évoquant des urnes. Pour seul éclairage quelques bougies qui projettent les ombres de figurines découpées dans du laiton. Le titre de l'œuvre *Le Lycée Chases,* est évocateur, pour qui sait qu'il s'agit de l'ancien lycée juif de la Castelgasse à Vienne et que les documents photographiques datent de 1931. L'usage de la photographie, les installations de vêtements entassés dans *La Fête du Pourim et La réserve du Musée des enfants* de 1989 se chargent d'une émotion poétique qui en chaque spectateur réveille plus qu'une mémoire, mais une conscience collective.

"De même que nous partageons tous le même fond culturel nous finirons, je pense, au même musée".

Although he defines himself as a painter, Boltanski in fact stopped painting around 1967. Up until then he had produced large paintings on the theme of Historical Paintings and dramatic events. In the late sixties he brought in other forms of expression to his work, such as the manufacture of objects, writing, films and the use of photography, the latter gradually becoming his favourite material. In 1968, he presented his first film, *La vie impossible de Christian Boltanski* (The Impossible Life of Christian Boltanski) as a kind of autobiography. The following year he concentrated on photography in two short books, *Recherche et présentation de tout ce qui reste de mon enfance* (Research and Presentation of All that Remains of My Childhood) and *Reconstitution d'un accident qui ne m'est pas encore arrivé et où j'ai trouvé la mort* (Reconstruction of an Accident that Has Not Yet Happened to Me Where I Meet with Death): "At first I was mostly interested in the property particular to photography ie, the fact it provides us with proof of reality; an event photographed is felt to be true. I therefore used the photos as proof of the existence of the mythical character I had invented, namely Christian Boltanski". The artist himself continued to reflect upon childhood — *his* childhood — and produced a series of plastic-covered objects that had once belonged to him, presented in drawers in a glass cabinet that, like many of his future installations, was reminiscent of ethnological collections: "I have very few childhood memories and I suppose I undertook this apparent autobiography precisely in order to rub out my memory and protect myself. I have invented so many false memories, which were in fact collective memories, that my own childhood has disappeared. But very soon, I disclosed to people that my memories were false and that the character of Christian Boltanski was vested with no tangible reality". In 1971, *l'Album de la famille D.* (D. Family Album), created from the family photographs of a friend of Boltanski's, re-photographed and classed by Boltanski himself, was presented at the Documenta V in Kassel. With this piece, he insisted on the banal and derisory stereotyping of photography, in particular amateur photography: "In most of my photographic pieces, I have used this property of proof attributed to the photograph and diverted it to try and show that a photograph can lie, that it does not always depict reality but rather obeys certains cultural codes".

Working from this angle, Boltanski asked 62 museum curators if he could bring together in one room all the belongings of one person, "from handkerchief to wardrobe". Thus he invents memories and testimonies based on banal, everyday objects in such works as *Les habits de François C* (The Clothes of François C) (1972) and *Inventaire des objets ayant appartenu à une femme à Bois-Colombe* (Invenotry of the Belongings of a Woman from Bois-Colombe) (1974). Then he imagined a staging using black and white photographs with no comments of himself miming the scenes and characters of his own childhood: "I felt the urge to destroy the myth and to destroy it through mockery. So, one day I changed from being a preacher to becoming a clown in light comedy sketches. It was the first step towards becoming an artist; I was still telling the same stories as before but in a completely mocking tone... I felt like saying: I've killed my own character, I've become one of the crowd, I'm nothing any more". Later he created in a series called 'Belles Images', *Compositions photographiques* (Photographic Compositions) (1976), large-print colour photographs. After these came his *Compositions japonaises* (Japanese Compositions), then his *Compositions architecturales* (Architectural Compositions), in which he integrated parts from a construction game, and lastly his *Compositions théâtrales* (Theatrical Compositions) where he makes his own objects. Boltanski's works of recent years are of a graver nature. Thus in Düsseldorf's Kunstverein in 1987 he placed, in a dark room on pedestals, the photographs of the heads of children, enlarged to the extreme, and some rusty old tins to convey funeral urns.

The only lighting provided was a few candles casting the shadows of small figures cut out in brass. The work was called *Le Lycée Chases* (The Cases Lycée) and is extremely evocative for all those who know that the school in question is the old Jewish Castelgasse high school in Vienna and that the photographs date back to 1931. The use of photography as well as the installations comprising piles of clothes in *la Fête du Pourim* (Purim Day) and *la Réserve du Musée des enfants* (Children's Corner in the Museum), both produced in 1989, are so imbued with poetic emotion that they stir up in each spectator more than a memory, a collective awareness: "As we all share the same cultural basis, in my opinion, we will all end up in the same museum".

LEÇON DE TÉNÈBRES. 1986. Chapelle de la Salpêtrière, Paris.
A LESSON OF DARKNESS.
Courtesy Galerie Ghislaine Hussenot, Paris.

INSTALLATION. Palazzo delle Prigione, XLII Biennale de Venise. 1986.
INSTALLATION.
Courtesy Galerie Ghislaine Hussenot, Paris.

LEÇON DE TÉNÈBRES. 1986. Chapelle de la Salpêtrière, Paris.
A LESSON OF DARKNESS.
Courtesy Galerie Ghislaine Hussenot, Paris.

MONUMENT : LES ENFANTS DE DIJON. 1985.
MONUMENT: THE CHILDREN OF DIJON.
Courtesy Galerie Ghislaine Hussenot, Paris.

ARCHIVES DE L'ANNÉE 1987 DU JOURNAL "EL CASO". 1989.
1987 ARCHIVES OF THE NEWSPAPER "EL CASO".
Courtesy Galerie Ghislaine Hussenot, Paris.

LES ARCHIVES DE C.B. : 1985-1988. 1989.
THE 1985-88 C.B. ARCHIVES.
Courtesy Galerie Ghislaine Hussenot, Paris.

LA FÊTE DU POURIM. 1989. Musée Für Gegenwartskunst, Bâle, Suisse.
PURIM DAY.
Courtesy Galerie Ghislaine Hussenot, Paris.

LA RÉSERVE DU MUSÉE DES ENFANTS. 1989. Histoire de Musées.
Musée d'Art Moderne de la Ville de Paris.
STORE-ROOM OF THE CHILDREN'S MUSEUM.
Courtesy Galerie Ghislaine Hussenot, Paris.

Daniel BUREN est né le 25 mars 1938 à Boulogne-Billancourt. Il vit à Paris et travaille dans le monde entier.

C'est vers le milieu des années soixante que Daniel Buren réalise ses premières œuvres, simples rectangles de toile de store rayée dont il recouvre certaines bandes de peinture. De décembre 1966 à septembre 1967, il forme avec Olivier Mosset, Michel Parmentier, et Niele Toroni, le groupe (baptisé de leurs initiales) B.M.P.T., qui présente au cours d'un spectacle au Musée des Arts Décoratifs, quatre toiles représentant, "l'état zéro de la peinture". Après plusieurs séjours aux Etats-Unis dans les années cinquante huit, soixante, Buren déclare que "Seule une rupture complète avec l'art tel qu'on l'envisage, tel qu'on le connait, tel qu'on le pratique, est devenue la question possible, la voie irréversible où la pensée doit s'engager." Buren est à ce moment proche de jeunes artistes américains comme Dan Flavin, Donald Judd, Sol LeWitt avec lesquels il partage le désir de lutter contre la sollicitation quasi-permanente de l'image. Cependant, les événements de Mai 68 en France renforcent chez Buren comme chez la plupart des artistes de cette époque l'engagement polémique, et militant en politisant la question esthétique. Buren publie alors de nombreux textes remettant en cause le "système", et la pratique de sa peinture affirme sa théorie. En 1968 il recouvre de son motif de bandes rayées des emplacements publicitaires dans le métro parisien et charge deux hommes-sandwiches de parcourir les rues de la capitale avec des panneaux recouverts de papier rayé vert et blanc. Le travail de Buren s'apparente à l'art conceptuel, mais demeure dans la répétition du geste, de l'action, répétition de son engagement premier. Il utilise un motif, toujours le même : l'alternance de bandes rayées verticales de 8,7 cm de largeur. Ce motif, qu'il désigne du signe X, qu'il appelle aussi "outil visuel", soulignant ainsi sa fonction instrumentale, devient bientôt le véritable signe distinctif de son attitude.

Buren élabore toujours son travail plastique en fonction du lieu auquel il s'intègre. "L'œuvre d'art apparait comme un détail, ou, si l'on préfère, comme l'un des éléments au milieu d'un ensemble (architectural, économique, politique...) dont elle fait partie." En 1971, invité à la VIème exposition internationale du Guggenheim Museum à New York, Buren entre directement en conflit avec l'architecture du lieu. Contraint à enlever sa toile de 20 mètres de haut sur 10 mètres de large, Buren se retire alors de l'exposition. Certaines de ses actions prennent valeur de manifeste, désirant échapper à l'institution du musée.

En 1972, à la Documenta V, Buren expose un mur de papier peint blanc à rayures blanches, il recouvre de ce même papier les cimaises destinées à l'accrochage de toiles. A Mönchengladbach, en 1975, ce sont les murs du musée qui sont tendus de toile rayée, laissant un blanc aux emplacements où sont d'ordinaire accrochées les collections.

Les propositions en s'identifiant totalement à l'architecture du lieu, peu à peu tendent à devenir elles-mêmes de petites architectures : le corridor au Musée d'Art Moderne de Paris en 1983, la pyramide renversée à la Biennale de Paris, le Déambulatoire à Eindhoven en 1985. Buren poursuit son travail de réflexion sur le monde de l'art, et notamment sur le rôle du conservateur et du commissaire d'exposition. Lorsqu'à la demande du directeur du Van Abbemuseum d'Eindhoven, il réalise en 1981, des gilets pour les gardiens du musée, le gardien en portant l'œuvre d'art sur son dos devient ainsi conservateur de l'œuvre. Le caractère mobile de la création plastique reste une de ses préoccupations constantes : les hommes-sandwiches en 68, les voiles de bateaux en 1975, 79, 80, 83, les portes de train à Chicago en 1980-82.

Si le motif reste inchangé, chaque création fait appel à une mise en scène particulière, à un travail "in situ". En 1985, au Festival d'Ushimado au Japon, Buren encadre le paysage, ce que les japonais traduisent par "emprunter le paysage". Par le type de ses interventions, Daniel Buren est l'un des seuls artistes contemporains à ne travailler que "sur commande", dans des lieux mis à sa disposition. Ainsi, il réalise en 1985-86, une sculpture de 3000 m² dans la cour du Palais-Royal à Paris, unique œuvre destinée à durer bien que Buren, constamment, souligne le côté fugitif de l'œuvre au regard de l'Histoire.

En novembre 1986, au Nouveau Musée de Villeurbanne pour une exposition rétrospective, Buren va jusqu'à "refaire" des installations anciennes. "Il s'agit ici d'interprétations. L'infidélité probable des interprétations comme le respect le plus strict des éléments d'origine sont revendiqués comme re-création originale de la part du "commissaire" de l'exposition qui est ici à la fois l'auteur et l'interprète de ses propres œuvres." En juillet 1986, il obtient le Lion d'Or de la Biennale de Venise.

Aujourd'hui, dans son paradoxe subversif et critique, Buren est l'artiste français contemporain le plus représenté à l'étranger.

Towards the middle of the sixties, Buren produced his first works, consisting of simple rectangles of striped window blinds with some of the strips painted over. From December 1966 to September 1967 he formed with Olivier Mosset, Michel Parmentier and Niele Toroni a group called B.M.P.T. - an acronym of their names - and presented four paintings during a show at the Museum of Decorative Art to show the "zero state of painting". After several stays in the US from 1958-1960 Buren declared that "only a complete break with art as we envisage it, as we know it or as we produce it has become the only possible consideration, the irreversible path along which thought must proceed". At the time Buren was close to the thinking of such young American artists as Dan Flavin, Donald Judd and Sol LeWitt whose urge, to fight against the almost permanent sollicitation of the image, he shared. However, the events of May 1968 in France were to strengthen in Buren, as in most artists of those years, his polemical and activist commitment through a politicisation of aesthetics. It was then that be published a number of texts questioning the "system" and his painting of that time puts his theory into practice. In 1968 he painted his striped motif onto billboards in the Paris underground and had two sandwich-men pound the streets of the French capital carrying boards covered with green and white striped paper.
Buren's work would tend to define him as a proponent of conceptualism, yet there still remains in the repetition of gesture and action, the repetition of his initial commitment. He always uses the same motif - alternating vertical stripes 8 mm wide. This motif, which he refers to by the sign "X" and also calls his "visual tool", emphasising thus its instrumental function, was soon to become the truly distinctive sign of his stance.
Buren always sets out his art in harmony with the locus into which it must fit: "The work of art appears as a detail or, alternately, as one of the elements in the midst of an ensemble, be it architectural, economic or political, of which it is a part". In 1971 he was invited to the Sixth International Exhibition at New York's Guggenheim Museum and found himself at loggerheads with the architecture of the site. He hung up a canvas 20 m high and 10 m wide in the centre of an empty spiral only to be forced to take it down. Buren duly withdrew from the exhibition. Thus some of his actions took on the mantle of a manifesto, like *Support-Surface,* in his frantic quest to escape the institution of the museum.
1972 saw Buren at the Documenta V in which he created a wall, covered with white wallpaper with white stripes, usually covered with the picture rails ordinarily used to hang paintings. In Munchengladbach in 1975 he covered the walls of the museum itself with striped canvas, with blank spaces for where the paintings should have been. These propositions, while identifying completely with the architecture of the site, gradually became small architectural structures in themselves: further examples of this were the corridors of the Museum of Modern Art in Paris in 1983, the upturned pyramid at the Paris Biennale and Eindhoven's Ambulatory in 1985. Buren was still busy reflecting upon the world of art, and especially upon the role of curator and exhibition commissioner when, at the request of the director of the Van Abbemuseum of Eindhoven, in 1981 he designed jackets for the museum wardens. By donning the work of art the wardens became its repository. The mobile nature of the art-object was, and is, one of his major concerns: from the sandwich-men (1968) to the yacht sails (1975, 79, 80, 83) to the train doors in Chicago (1980-82). Although the motif is always the same, each occurence draws on a unique staging, a work *in situ.*
In 1985 at the Ushimado Festival in Japan, Buren framed the landscape (the Japanese described it as "borrowing landscape"). Due to the very nature of his work, Daniel Buren is one of the very few contemporary artists working "on commission" only in sites specially singled out for him. Thus in 1985-86 he set up a 3000 m² sculpture in the gardens of the Palais-Royal in Paris, a work destined to last despite Buren's insistance on the transience of the work from the historical viewpoint. In November 1986 in the New Museum of Villeurbanne, Buren went as far as to "recreate" past works: "What we are concerned with here is interpretation. The probable departure from the original interpretation as well as the strict adherence to the original elements are claimed as part of the process of original recreation by the exhibition's "commissioner", who is both author and translator of his own works".
In July 1986 he was awarded the Golden Lion at the Venice Biennale. Today, despite, or perhaps because of the critical, subversive nature of his art, Buren is the most widely represented contemporary French artist abroad.

Daniel BUREN

CE LIEU D'OÙ... Détails, travail in situ, Gewad, Gand. Belgique. Mai 1984. Tissu blanc et blanc, tissu blanc et rouge, bois, serre-joints. Photo-souvenir : Daniel BUREN.
THAT PLACE WHENCE... Details, work in situ, Gewad. Ghent, Belgium. White and white fabric, red and white fabric, wood, clamps.

LA CABANE LUMINEUSE. Détails, travail in situ, 1985. Bois tissu.
THE LUMINOUS CABIN. Details, work in situ, 1985. Wood, fabric. Photograph by Enzo Ricci. Courtesy Tucci Russo Gallery, Turin, Italy.

Daniel BUREN

L'ARC EN CIEL. Détails, travail in situ, Festival d'Ushimado, Japon. Novembre 1985. 200 drapeaux, 400 m, 10 couleurs. Mâts en acier, tissus sérigraphiés, bois, peinture. Photo-souvenir : Daniel BUREN.
THE RAINBOW. Details, work in situ, Ushimado Festival, Japan, November 1985. 200 flags, 400 m, 10 colours. Steel masts, silk-screen prints, wood, paint.

DEMI-CYLINDRE SUR DEMI-CIRCONFÉRENCE. Détails, in "Luxe, calme, volupté, aspect of French Art 1966-1986", travail in situ, Vancouver Art Gallery, Canada. Juillet 1986. Tissu rayé blanc et bleu, corde, serre-joints. Photo-souvenir : Daniel BUREN. SEMI-CYLINDER ON SEMI-CIRCUMFERENCE. Blue, and white striped fabric, rope, clamps. Photograph by the artist.

Daniel BUREN

FRONTALEMENT ASCENDANT. "Point de vue pour 7 palissades", détails, travail in situ, Juin 1988, in "Zeitlos", Berlin, R.F.A.
Bois coupé à la taille des bandes (8,7 cm) et à la demande (en hauteur) et peinture.
FRONTALLY ASCENDING. A Vista for Seven Fences, details, work in situ, June 1988, in "Zeitlos", West Berlin.
Wood out in (8,7 cm) strips and to measure (in height), paint.

LES DEUX PLATEAUX. Détails, travail in situ, Cour d'Honneur du Palais Royal. Paris, France. 1985/1986. Ciment, marbre, pierre, acier galvanisé, eau, électricité.
THE TWO PLATEAUX. Details, work in situ, Palais Royal, Paris. Cement, marble, stone, galvanised steel, water, electicity.

Daniel BUREN

CABANE ÉCLATÉE. 1989. Bois, tissu rayé blanc et vert.
BURST CABIN. 1989. Wood, green and white striped fabric.
Courtesy Galerie Daniel Templon, Paris.

UNE ENVELOPPE PEUT EN CACHER UNE AUTRE. Détails, travail in situ, Mars 1989, Musée Rath,
Centre d'Art Contemporain de Genève, Genève, Suisse. Tissu, bois, tubes. Photo-souvenir : Daniel BUREN.
BEWARE OF ENVELOPES. Details, work in situ, March 1989, Rath Museum, Centre for Contemporary Art, Geneva. Fabric, wood, tubes.

CHRISTO est né en 1935 à Gabrovo en Bulgarie. Il vit et travaille à New York.

Après avoir suivi des études artistiques à Sofia, à Prague puis à Vienne, Christo s'installe à Paris en 1958. Là, il se lie aussitôt avec des artistes de toutes nationalités qui formeront plus tard le groupe dénommé par le critique Pierre Restany en octobre 1960 : "Les Nouveaux Réalistes". (Yves Klein, Arman, Dufrêne, Hains, Raysse, Spoerri, Tinguely, Villeglé, César, Rotella). Les travaux de Christo dès 1961 sont des objets drapés ou empaquetés de toiles et ficelés. Déjà Christo forme à ce moment des projets à plus grande échelle, tels que des empaquetages de bâtiments réalisés plus tard à Cologne par exemple.

Durant l'année 62, à Paris, les actions spectaculaires des Nouveaux Réalistes auxquels Christo vient se joindre, artistes tous en rupture radicale avec l'histoire de l'art et surtout avec la peinture de l'Ecole de Paris des années d'après guerre, défrayent les chroniques artistiques et la vie parisienne. "La peinture est morte de trop bien se porter" écrit alors Pierre Restany. La fermeture de la rue Visconti par un mur de barils d'huile demeure le fait marquant de mise en scène publique et spectaculaire significative du travail à venir de Christo.

En 1963, Christo s'installe à New York, et c'est désormais de sa résidence américaine avec la collaboration de sa femme Jeanne-Claude qui assure l'organisation de ses projets, qu'il conçoit ses travaux dont l'envergure ne cesse de croître.

A la tête, avec son épouse, d'un véritable cabinet d'engineering, il prépare toute la logistique des futures réalisations (équipes, matériel, autorisations d'interventions auprès des autorités des pays, des villes, des propriétaires des lieux concernés).

La vente de dessins préparatoires, d'esquisses au pastel et au fusain des projets réalisés, en cours, ou la vente d'œuvres plus anciennes, apportent à Christo les fonds nécessaires au financement de chaque nouvelle entreprise.

En donnant une dimension sculpturale aux bâtiments et aux lieux sur lesquels il intervient, Christo les transforme en œuvre d'art, éphémère, car offerte aux regards des promeneurs ou des amateurs pour une durée courte de quelques semaines seulement.

Depuis les années soixante, la série des travaux raconte l'envergure et parfois la démesure non seulement des projets mais de la réussite absolument parfaite de leur réalisation.

Du Musée d'Art Contemporain empaqueté à Chicago aux 2 km de côte australienne ou de falaises empaquetées en 1969, le concept s'installe : empaquetage des monuments ou bien investissements de lieux naturels détournés ainsi et rendus à l'apparence d'objets démesurés.

1972 : *Valley Curtain*, Vallée du Colorado, site recouvert de 200 000 pieds au carré de toile de polyamide. 1974 : *The Wall*, mur romain drappé en plein Rome, et *Ocean Front*, 150 000 pieds carrés de toile flottant à Rhode Island, *Wrapped Walkway* : 4,5 km de toile de nylon en chemin offert à la promenade. 1983 : *Surrounded Islands* en Floride, projet de 1981 : "...il y a onze îles : elles avaient été entourées de soixante hectares de tissu flottant de polypropélène rose qui recouvrait la surface de l'eau sur une largeur de soixante-dix mètres depuis les îles jusque dans la baie. La toile avait du être cousue en soixante-dix neuf morceaux pour suivre les contours des différentes îles. Pendant quinze jours, le public a pu jouir du paysage de ces *Iles Encerclées* qui s'étendaient en tout sur onze kilomètres en s'en approchant de diverses manières possibles, à partir des routes, depuis le rivage, sur l'eau ou même d'avion. La couleur rose, lumineuse, de l'étoffe brillante convenait parfaitement à la végétation tropicale de ces îles verdoyantes, inhabitées, et s'harmonisait avec la luminosité du ciel de Miami et les couleurs que prend la mer dans la Biscayne Bay..."*.

1985 : *Le Pont Neuf empaqueté* à Paris, projet de 1975 : "Le 22 septembre 1985, un groupe de 300 ouvriers hautement spécialisés a achevé l'œuvre d'art contemporaine de Christo.

Ils ont déployé 40.000 mètres carrés de toile tissée, d'apparence soyeuse, couleur "Pierre de l'Ile de France" pour recouvrir :

- Les côtés et les voûtes des douze arches, (sans gêner la circulation fluviale).
- Les parapets jusqu'aux trottoirs.
- Les trottoirs et les caniveaux, (les piétons peuvent marcher sur la toile).
- Les lampadaires des deux côtés du pont.
- La partie verticale de la berge à la pointe de l'Ile de la Cité.
- L'esplanade du Vert-Galant.

La toile est retenue par 13.000 mètres de cordes et fixée à 12,1 tonnes de chaînes d'acier qui encerclent la base de chaque pile à un mètre sous l'eau."

Et 1991 : *The Umbrellas*, au Japon et aux USA : "des milliers de parasols (6 m de haut et 8,69 m de diamètre) formeront simultanément un parcours sinueux à travers le paysage sur 18 km environ au Japon, et sur 25 km environ aux Etats-Unis"* pour trois semaines... actuellement en préparation. c'est la dernière réalisation de Christo qui aura lieu en octobre 91.

* Extraits de textes rédigés par Christo accompagnant la réalisation de ces projets.

After studying art in Sofia, Prague and Vienna, Christo settled in Paris in 1958. It was there that he soon became acquainted with artists of many different nationalities who were later to form the group that the French art critic Pierre Restany referred to in 1960 as the "New Realists". (The group included Yves Klein, Arman, Dufrêne, Hains, Raysse, Spoerri, Tinguely, Villeglé, César and Rotella).
As early as 1961 Christo's first works were objects covered or wrapped in fabric and tied with string. At the time he was already imagining projects on a larger scale, such as wrapping entire buildings, the first of which he undertook later in Cologne.
In Paris, during the whole of 1962, the spectacular actions of the New Realists - whom Christo had just joined - and whose every member commended a radical break with art history and more especially with the painting of the Paris School of the post-war years, troubled the calm waters of the Paris art scene. "Painting had died of good behaviour", was what Pierre Restany wrote at the time.
Closing off the Rue Visconti with a wall of oil casks remains the crowning moment in the highly public and spectacular staging that was to be so characteristic of Christo's future "interventions".
In 1963 he settled in New York, and it was from then on from his American home, in collaboration with his wife Jeanne-Claude, that Christo managed the organizing of his projects and created his increasingly ambitious works.
As joint-manager, with his wife, of an authentic engineering company, Christo prepares all the logistics for his future schemes (teams of workmen, material, permission for his interventions from the authorities of the towns or countries involved, or from the owners of the chosen sites). Through selling the preparatory drawings and sketches in pastel or crayon, of work already undertaken or in the making, Christo gathers the necessary funds to finance each new project. By giving a sculptural dimension to the buildings and places upon which he "intervenes", he transforms them into works of art, albeit transitory, since they are given up to the gaze of visitors and artlovers for a short period of sometimes only a few weeks.
The series of works accomplished since the sixties relates the ambition and at times the excessiveness not only of the projects but also the perfection with which they have been successfully executed. From the *empaquetage* of Chicago's Museum of Contemporary Art to the two miles or so of Australian coast and cliffs wrapped in 1969, the concept slowly takes shape; wrapping monuments or embellishing natural sites thus diverting them from their original existence and rendering to them the appearance of immoderate objects.

In 1972 he produced *Valley Curtain* in the Colorado Valley, a site covered with 200,000 square feet of polyamide canvas. In 1974 came *The Wall,* a draped wall in the centre of Rome, *Ocean Front, 150,000* square feet of floating fabric on Rhode island and in 1975 *Wrapped Walkway,* roughly 4.5 km of flowing nylon on a public footpath. From 1980-1983 he worked on *Surrounded Islands Biscayne Bay, Greater Miami Florida:* "There were eleven islands in all; they had been surrounded by sixty hectares of floating pink polypropylene covering the surface of the water 70 m wide from the islands to the shores of the bay. The fabric had been sewn together in 79 pieces to espouse the outlines of the various islands.
Over a fortnight, the general public were able to enjoy the landscape of these *Surrounded Islands,* which stretched out in all over eleven kilometers, by approaching them from as many ways as possible; by road, from the shore, on water or even by plane. The translucent pink colour of the shimmering fabric seemed to perfectly suit the tropical vegetation of these lush, green, uninhabited islands and blend in with the luminosity of the Miami sky and the colours of the sea in the Biscayne Bay."
(Extracts from texts by Christo or to accompany projects by him).
In 1985 he produced *Pont Neuf Wrapped* in Paris, a project dating back to 1975:
"On September 22, 1985 a group of 300 highly specialised workmen put the finishing touches to Christo's transitory work of art, *Pont Neuf Wrapped.* They unrolled 40,000 square meters of woven, shimmering fabric in the colour of the stone of the Paris region and covered:
the sides and the vaults of the twelve arches of the bridge (without hindering river traffic)
the parapets down to the pavement
the pavements and the gutters (whilst still enabling pedestrians to walk on the fabric)
the street lamps on both ends of the bridge
the vertical slope on the riverbank at the furthest tip of the Ile de la Cité
the Vert-Galant esplanade.
The fabric was held down by 13,000 meters of rope and tied to 12.1 tonnes of steel chains which were coiled around the base of each pillar to a depth of one meter below the waterline." (id). By October 1991 he will have completed his 1985 project, *The Umbrellas,* in Japan and the US. Here, thousands of umbrellas 6 m tall and 8.69 m in diameter will be sited concurrently in winding lines across 18 km or so of landscape in Japan and 25 km or so in the US. The scheme is currently in its preparatory stages and is planned to last for three weeks.

LES ÎLES ENCERCLÉES. 1980-83.
SURROUNDED ISLANDS. Biscayne Bay, Greater Miami, Floride.
© Christo. Ph. : W. Volz.

CHRISTO

LES ÎLES ENCERCLÉES. 1980-83.
SURROUNDED ISLANDS. Biscayne Bay, Greater Miami, Floride.
© Christo. Ph. : W. Volz.

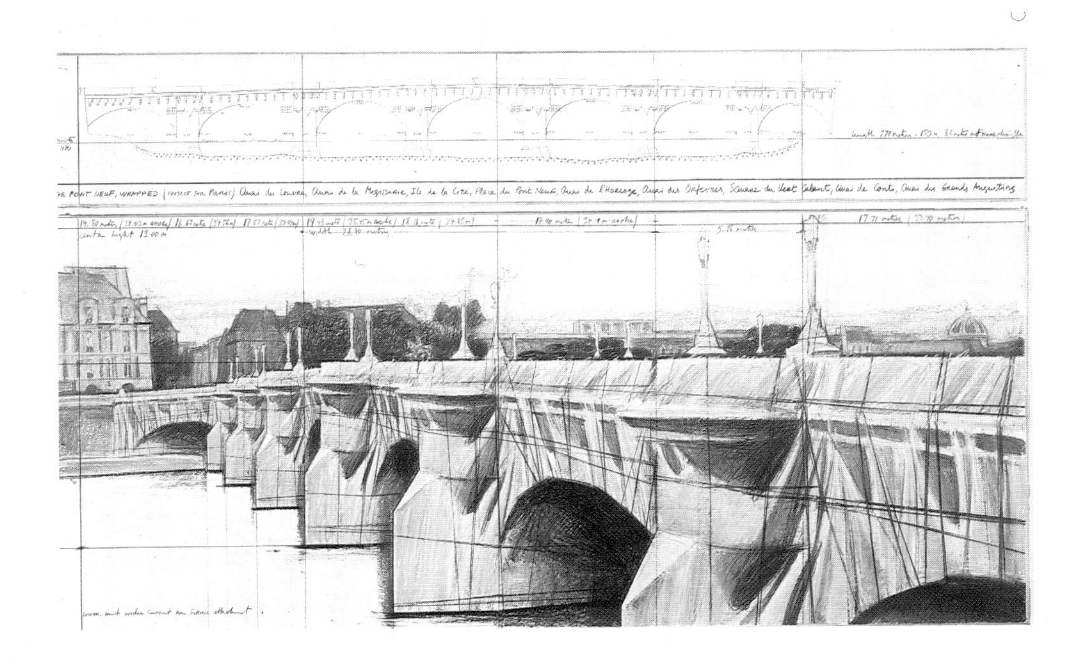

LE PONT NEUF EMPAQUETÉ 1975-85. 1. Dessin préparatoire. 2. 44 000 m² de toile polyamide, 13 000 m de cordes.
THE PONT NEUF WRAPPED. 1. Preparatory drawing. Courtesy Musée d'Art Moderne de la ville de Paris.
2. 44 000 m² wowen polyamid fabric, 13 000 m of ropes. © Christo Ph. : W. Volz

LE PONT NEUF EMPAQUETÉ. 1975-85. 44 000 m² de toile de polyamide, 13 000 m de cordes.
THE PONT NEUF WRAPPED. 44 000 m² wowen polyamid fabric, 13 000 m of ropes.
© Christo Ph. : W. Volz.

LE PONT NEUF EMPAQUETÉ 1975-85. 44 000 m² de toile polyamide, 13 000 m de cordes.
THE PONT NEUF WRAPPED. © Christo. Ph. : W. Volz. 44 000 m² wowen polyamid fabric, 13 000 m of ropes.

LES PARASOLS. 1989. Projet pour le Japon et les USA. Photo peinte. 35.5 × 56, crayon, fusain, peinture.
THE UMBRELLAS. Joint project for Japan and USA. Painted photograph, pencil, charcoal, enamel paint.
© Christo. Ph. : W. Volz.

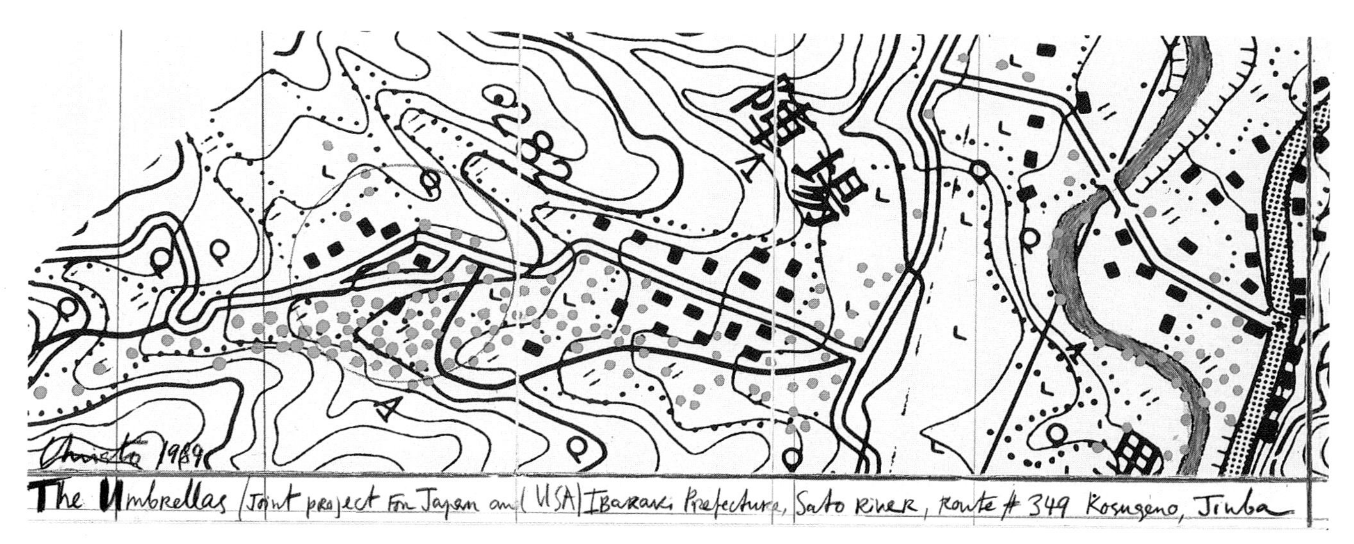

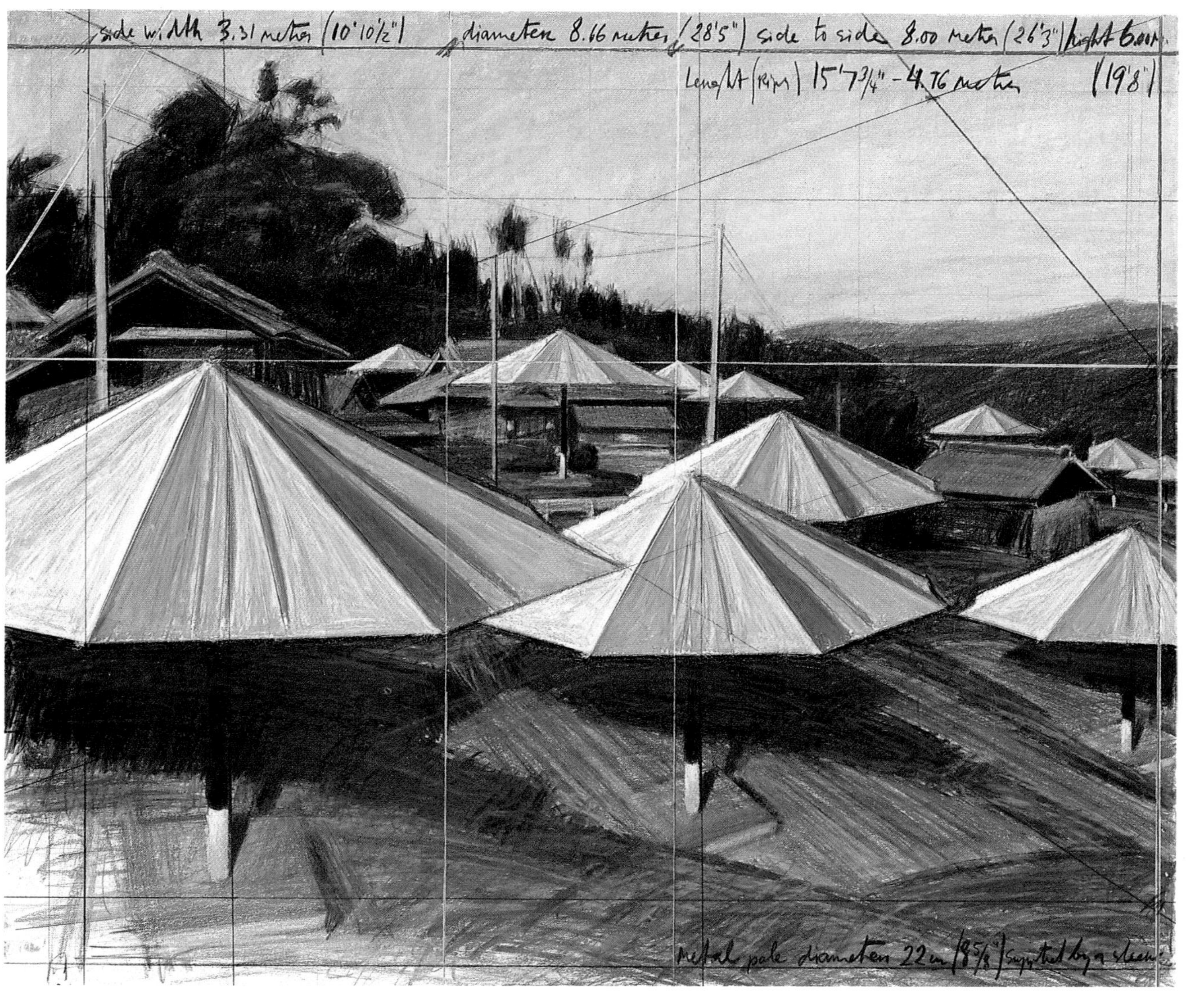

LES PARASOLS. Projet pour le Japon et les USA. 1989.
Collage 30,5×77,5 - 66,7×77,5. Crayon, pastel, toile, fusain, peinture, carte.
THE UMBRELLAS. Pencil, fabric, pastel, charcoal, enamel paint, map.
© Christo. Ph. : W. Volz.

CHRISTO

Tony CRAGG est né à Liverpool en 1949. Il vit et travaille à Wuppertal en R.F.A.

Fils d'ingénieur, Tony Cragg reçoit un enseignement scientifique avant d'entreprendre des études artistiques à Gloucester College of Art and Design, puis à Wimbledon School of Art. Il étudie ensuite la sculpture au Royal College of Art à Londres, dont il sort diplomé en 1977, date à laquelle il s'installe à Wuppertal. Vers le début des années 70, Cragg travaille avec des objets trouvés dans la nature, sable, pieux, coquillages, brindilles mais aussi papiers, ficelle, plastique, qu'il assemble sans principes objectifs. En 1979, il présente ses premières œuvres *Sans titre(s)* (1975) à la Lisson Gallery à Londres, des volumes géométriques obtenus par simple empilement de morceaux de bois, pierre et détritus divers. Cette même année il est nommé professeur à la Kunstakademie de Düsseldorf où il enseigne encore.
Le choix de Tony Cragg de ne travailler qu'à partir de matériaux déjà utilisés par l'homme, traduit son désir de réévaluer le rapport que nous entretenons avec les objets usuels : "j'essaie de trouver un moyen de réévaluer l'objet d'une manière qui nous permette réellement de comprendre ce que nous produisons et pourquoi nous le produisons." Il se propose d'offrir une alternative à la destruction des objets usagés en "bouclant la boucle", en essayant de réintégrer les matériaux anciens dans l'environnement sans ajouter à la liste des objets manufacturés. "Le monde regorge d'objets fabriqués par l'homme. Il est temps de s'arrêter, de nettoyer, d'établir une réévaluation des objets donnés dans le monde". Pour Tony Cragg ce travail de recherche est assez proche des sciences humaines. Les détritus sont "des fossiles artificiels qui sont autant de clés pour un passé qui constitue notre présent". L'œuvre de Cragg de 1978 à 1982 environ, présente un caractère autarcique. A l'aide de fragments d'objets de récupération, il compose comme un puzzle, un dessin à terre ou sur les murs, d'un objet qui renvoie à l'image même de ces fragments : *Bouteille verte* (1980) ou à leur mise en place : *Autoportrait* (1980) qui représente l'artiste en train d'accrocher l'œuvre.
Dans le même temps et selon le même principe, Cragg crée des sculptures à l'évocation plus poétique : *Blue Moon* (1980), *L'Angleterre vue du Nord* (1981).
En 1981, il expose au Musée d'Art et d'Industrie de Saint-Etienne, en 1983, à la Kunsthalle de Berne. Très attentif à la mise en scène d'une exposition il dit rapprochant l'accrochage à son travail de sculpteur : "Une exposition est une chaîne d'éléments qui a beaucoup à voir avec du non-codé et avec du codé, et qui sert en définitive à obtenir des significations plus satisfaisantes pour la psychologie humaine... Les œuvres d'une même exposition forment des groupes qui se suivent chronologiquement et thématiquement."
Avec *Axehead* en 1982, Tony Cragg entreprend un travail sur l'outil qu'il reprendra plus tard. Une grande pièce en forme de hache, est composée de fragments de bois en rapport de dépendance avec l'outil ici représenté. La réflexion sur l'outil en tant que médiateur entre l'homme et le monde est encore évoquée par Cragg, lorsqu'en 1986, il expose à Londres une série d'outils taillés dans de grandes pierres de sable. La procédure d'augmentation qui apparaissait dans *Axehead*, est dès lors souvent réutilisée par le sculpteur qui la qualifie de "scientifique". En effet Cragg emprunte aux sciences exactes beaucoup de ses références et l'organisation rigoureuse de ses structures atomiques. Ainsi, dans *Bacchus Drops* (1985) et *The Worm returns* (1986), le sucre et le vin sont représentés par leurs molécules.
En 1985, il présente son œuvre au Musée d'Art Moderne de la Ville de Paris, en 1986, au Brooklin Museum of Art à New York.
En 1988, il expose dans le pavillon britannique à la Biennale de Venise.
Après l'assiette brisée reconstituée et les dessins-puzzles colorés des années 70, dans les œuvres des années 80 présentées à Venise, Cragg construit des objets harmonieux, réordonnant avec sérénité des fragments dispersés.

The son of an engineer, Cragg followed a course in science before taking up art studies at the Gloucester College of Art and Design and later, at the Wimbledon School of Art. He subsequently studied sculpture at the Royal College of Art in London, graduated in 1977 and went to live in Wuppertal the same year. Already in the early seventies he had worked on objects found in nature - sand, sticks, shells, twigs but also paper, string and plastic - which he later assembled under no guiding principle to the resulting object. In 1979 he presented his first *Untitled* works (produced in 1975) at the Lisson Gallery in London - a series of geometrical volumes obtained by merely piling up bits of wood, stone and a variety of detritus. The same year he was appointed lecturer at Düsseldorf's Kunstakademie where he still teaches to this day.
Cragg's opting to work only from objects that have already been used by man is symptomatic of his desire to re-assess the relationship between man and everyday objects: "I am trying to find a means of re-assessing the object in a way that really enables us to understand what we produce and why we produce it." He is offering an alternative to the destruction of used objects by "coming full circle" and attempting to reinstate old material in the environment without adding to the endless list of manufactured objects. In his words: "The world is full of objects made by man. It's high time we stopped and cleaned things up by putting forward a reappraisal of the objects already issued". For Cragg this research work is close to the human sciences. The discarded objects are "artificial fossils, so many keys to a past that makes up our present".
His works from around 1972-1982 feature autarchic characteristics. With fragments of discarded objects he composes a sort of jigsaw, on the ground or on the wall, that is an object reminiscent of the very image of these fragments - as in *Green bottle* (1980) - or of their positioning, as in the 1980 *Self-portrait* representing the artist hanging one of his works on a wall.
At the same time, whilst still following the same principle, he produced sculptures that were poetic in their evocation, such as *Blue Moon* (1980) and *Britain seen from the North* (1981). The same year he exhibited at the Museum of Art and Industry in Saint-Etienne (France) and in 1983 at Berne's Kunsthalle.
Cragg pays great attention to the lay-out of an exhibition and says, here drawing a parallel between the hanging of a work and his task as a sculptor: "An exhibition is a chain of elements much related to the non-coded and the coded and which in the long run serves as a means of obtaining more satisfying meanings for the psychology of man... The works in one single exhibition form groups that follow on chronologically and thematically". With *Axehead* (1982) he took up work on tools, a theme he was to pick up later.
A large room in the shape of an axe is made of fragments of wood linked in dependence to the tool represented. The reflection on the tool, as a mediating object between man and the world recurs when, in London in 1986, Cragg exhibits a series of tools cut in large blocks of sandstone. This enlarging process that first appeared in *Axehead* is often used by Cragg, who describes it as being "scientific". Indeed, he borrows from the exact sciences many of his references as well as the rigourous organization of his atomic structures. Thus, in *Bacchus Drops* (1985) and *The worm returns* (1986), sugar and wine are represented by their molecules.
In 1985 Cragg's work is presented at the Museum of Modern Art of the City of Paris, in 1986 at the Brooklyn Museum of Art in New York and in 1988 he exhibited in the British pavillon in the Venice Biennale.
From the reassembled broken plates and his coloured, fragment-composed jigsaw drawings of the seventies, right through to his work of the eighties presented at Venice, Cragg has built harmonious objects, re-arranging with serenity dispersed fragments.

Tony CRAGG

SPIRALE OUVERTE. 1982. 152 x 320 x 400
OPENING SPIRAL.
Courtesy Lisson Gallery, London.

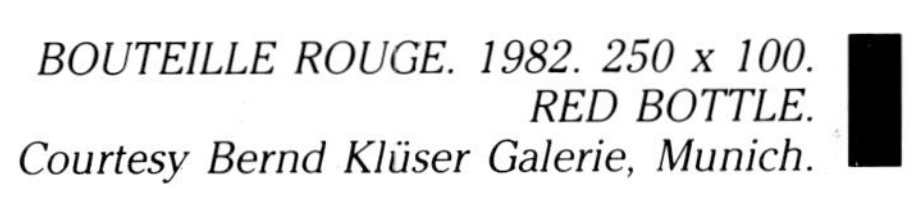

BOUTEILLE ROUGE. 1982. 250 x 100.
RED BOTTLE.
Courtesy Bernd Klüser Galerie, Munich.

Tony CRAGG

TAXI. 1984. 225 × 80 × 80.
TAXI.
Courtesy Lisson Gallery, London.

PALETTE PLASTIQUE I. 1985. 175 x 165.
PLASTIC PALETTE I.
Courtesy Lisson Gallery, London.

Tony CRAGG

Tony CRAGG

OUTILS. 1985. Grès. 100 × 320 x 350.
TOOLS. Sandstone.
Courtesy Lisson Gallery, London.

Tony CRAGG

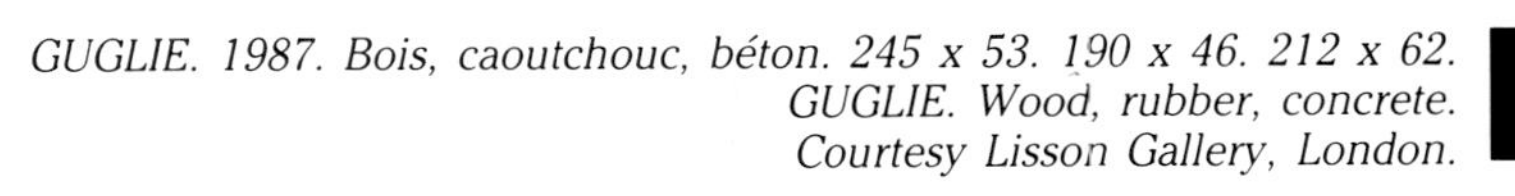

GUGLIE. 1987. Bois, caoutchouc, béton. 245 x 53. 190 x 46. 212 x 62.
GUGLIE. Wood, rubber, concrete.
Courtesy Lisson Gallery, London.

Tony CRAGG

SANS TITRE. 1988. Bronze. 210 x 210 x 285.
UNTITLED. Bronze.
Courtesy Lisson Gallery, London.

Tony CRAGG

MATROSGKA. 1989. Bronze. 190 x 80.
MATROSGKA. Bronze.
Courtesy Lisson Gallery, London.

Richard DEACON est né en 1949, au Pays de Galles. Il vit et travaille à Londres.

A l'âge de 19 ans, Richard Deacon commence des études artistiques, d'abord au Sommerset College of Art à Taunton, à St Martins School of Art, puis au Royal College of Art où il se lie avec Tony Cragg, et enfin au Chelsea College of Art à Londres. Deacon à ses débuts est influencé par la réflexion minimaliste, telle que Donald Judd la concevait en 1966 : « Le tout voilà ce qui compte... ». Et ce tout consiste pour Deacon à associer les matériaux les plus divers et dissemblables, le plus souvent des matériaux de fabrication industrielle comme l'acier galvanisé, la tôle, le tissu, le plastique..., assemblages dans lesquels les procédés utilisés restent parfaitement en évidence. "Le travail que je fais est le résultat de beaucoup de séquences et combinaisons d'actions répétitives de découpage, pliage, collage, vissage, rivetage, couture".
Deacon se refuse l'appellation de sculpteur, considérant sa pratique comme celle d'un ouvrier habile, (mais il nomme néanmoins ses réalisations des sculptures), il préfère le terme de "fabricateur". "Je fabrique, je ne sculpte, ni ne modèle. A ce titre le côté pratique est essentiel pour moi. Je travaille les matériaux de la façon la plus directe". Cette mise à nu du mode de fabrication, outre sa fonction de signifier le travail, affirme pour Deacon le rôle d'ornement des objets-sculptures, montrant ainsi que l'objet industriel peut lui aussi être décoratif, réflexion ironique de l'artiste sur le modernisme. Deacon pratique donc un artisanat en utilisant toutes les formes de créations industrielles, de matériaux usinés.
En 1978, Richard Deacon séjourne un an aux Etats-Unis au cours de cette année, il travaille notamment sur une série de dessins industriels *It's Orpheus when there's singing* en hommage à ses lectures de Rainer-Maria Rilke. De retour en Angleterre, il réalise quatre sculptures de grande taille. La première est fabriquée à l'aide de bandes de bois laminées, la seconde est un cône fait d'une feuille d'acier riveté, avec deux ouvertures aux extrémités évoquant une bouche. La troisième sculpture suggère un contour de tête avec deux oreilles rondes de chaque côté. La quatrième est un arc en acier avec une ouverture circulaire dont l'intérieur est vide comme un instrument de musique, le plateau supérieur a la forme d'une oreille. C'est la première sculpture de Deacon à porter un titre *If the shoe fits* (1981). Par l'usage nouveau des titres et d'une certaine représentation, le souci évident de Deacon est de mener le spectateur à une réflexion sur le langage et sa fonction pour "opérer le monde".
Dans l'ensemble de son travail, la présence de la nature et du corps humain est implicite, et Deacon évoque de manière allusive certains fragments d'anatomie en particulier les organes de la perception. Mais un vocabulaire des sens dans les titres explicites s'adresse *A ceux qui ont des yeux,* la modestie du travail de l'artiste ne refuse pas son identité. En 1980, Deacon commence sa série *Art for Other People*. Avec ces œuvres de petite taille, l'artiste répond là à des questions sur son propre travail, et elles s'adressent, encore plus légères, à la préhension du spectateur. Voir et comprendre, un propos incontournable.
En 1984, Deacon expose au Nouveau Musée de Villeurbanne, en 1985, il est présent à la Nouvelle Biennale de Paris. Cette même année, il réalise une sculpture monumentale, *Blind, Deaf and Dumb,* avec laquelle il reprend le thème des sens, *Sourd, Muet et Aveugle,* traitant du rapport extérieur-intérieur : une sculpture en acier galvanisé, entièrement de fabrication industrielle située à l'extérieur de la Serpentine Gallery à Londres et une autre en bois laminée à l'intérieur de la galerie.
Avec ses œuvres monumentales ou modestes qui laissent percevoir des indices de fabrication comme la série *The back of my hand*, des sculptures murales exposées à Nantes en 1986, Deacon retrouve et interroge les mêmes thèmes.
Dans *In two Minds,* 1986 la sculpture a des ressemblances avec une silhouette humaine, thème aussi récurrent dans le travail de Deacon depuis ses premières œuvres. "La forme humaine doit renforcer l'idée que les sculptures sont à la fois faites de main d'homme et pour celui-ci, par et à propos de l'homme".
Conclusion simple de "l'artisan façonnier" Deacon, qui poursuit un travail sans trouble, ne faisant que donner à voir.

At the age of nineteen Deacon began his art studies at the Somerset College of Art in Taunton, before moving on to St. Martin's School of Art, the Royal College of Art (where he met Tony Cragg) and the Chelsea College of Art. Early influences in his work can be traced back to minimalist reflections as formulated by Donald Judd in 1966: "The whole, that's all that matters". The whole for Deacon consists of using together the most diverse and unlikely materials - more often than not materials manufactured by industry, such as galvanised steel, metal sheets, fabric and plastic - in assemblages where the processes used are clear for all to see: "The work I undertake is the result of many sequences and combinations of repetitive actions, from cutting, folding, collage, bolting, riveting to sewing".
Deacon flatly refuses to be called a "sculptor", considering his art as that of a craftsman - even though he calls his works "sculptures" - and much prefers the term "maker": "I make things, I do not sculpt or model. For this reason the practical side of things is essential for me. I work on my materials in the most direct way".
Apart from the fact that it is there to signify work, this paring of the processes that make up the manufacture of an object is there for Deacon to state the ornamental role of the object-sculpture by showing that an "industrial object" can also be decorative, revealing Deacon's wry reflection on modernism. It can therefore be said that his art is a craft where he uses all forms of industrial creation and factory-built materials.
In 1978-1979 he lived in the US and worked especially on a series of drawings called *It's Orpheus when there's singing,* a tribute to the work of Rainer-Maria Rilke. When he came back to Britain, he produced four large-sized sculptures. The first was made of laminated wood. The second was a cone made of sheets of steel bolted together with two openings at the ends suggesting a mouth. The third suggested the outline of a head with two round ears on each side. The fourth was a steel arc with a circular opening but empty inside, like a musical instrument. The upper level is shaped like an ear and the outside is covered with metal sheeting. It was called *If the shoe fits* (1981) and was the first title Deacon ever gave to one of his sculptures. Through a novel use of titles and a certain degree of representation, his obvious aim is to lead the spectator to a certain reflection on language and its function in the "operating" of the world.
Nature and the human body are present throughout Deacon's work. He subtly alludes to certain fragments of human anatomy, in particular the organs of perception, yet, the vocabulary of the senses so present in the titles is only given to those who have the eyes to see it, for Deacon does not wish to give up his identity in the name of modesty.
In 1980 he began work on his series *Art for Other People.* In these small-sized works he confronts the issues raised by his own work, for the series is even subtler in the way it surrenders itself to the grasp of the spectator. Seeing and understanding are so intrinsic to his work. In 1984 he exhibited at Villeurbanne's New Museum and the following year he was present at Paris's New Biennale. The same year he produced a monumental sculpture entitled *Blind, Deaf and Dumb* in which he went back to explore the theme of the senses by looking at the indoor-outdoor.One sculpture, of galvanised steel and manufactured according to a wholly industrial process, was placed outside the Serpentine Gallery in London; another, made of laminated wood, was placed inside the gallery. With his monumental or modest pieces that let the spectator conptemplate the very process of their making, as in the series of mural sculptures entitled *Back of my hand* exhibited in Nantes in 1986, Deacon still goes back to question the same themes. In *In two minds* (1986) the sculpture looks like a human silhouette, a recurring theme in Deacon's work ever since the very first pieces: "The human shape should heighten the idea that the sculptures are at once made by the hand of man, for man, whilst being of and about man". This down-to-earth approach is so characteristic of the "craftsman" Deacon who calmly pursues his work, leaving it to be viewed.

Richard DEACON

ART POUR AUTRUI N° 1. 1982. Cuir, acier, pierre. 90 x 30 x 30.
ART FOR OTHER PEOPLE No 1. Leather, steel, stone.
Courtesy Lisson Gallery, London.

Richard DEACON

A PREMIÈRE VUE. 1984. Acier galvanisé, toile. 91 x 213 x 31.
ON THE FACE OF IT. Galvanised stell, canvas.
Courtesy Lisson Gallery, London.

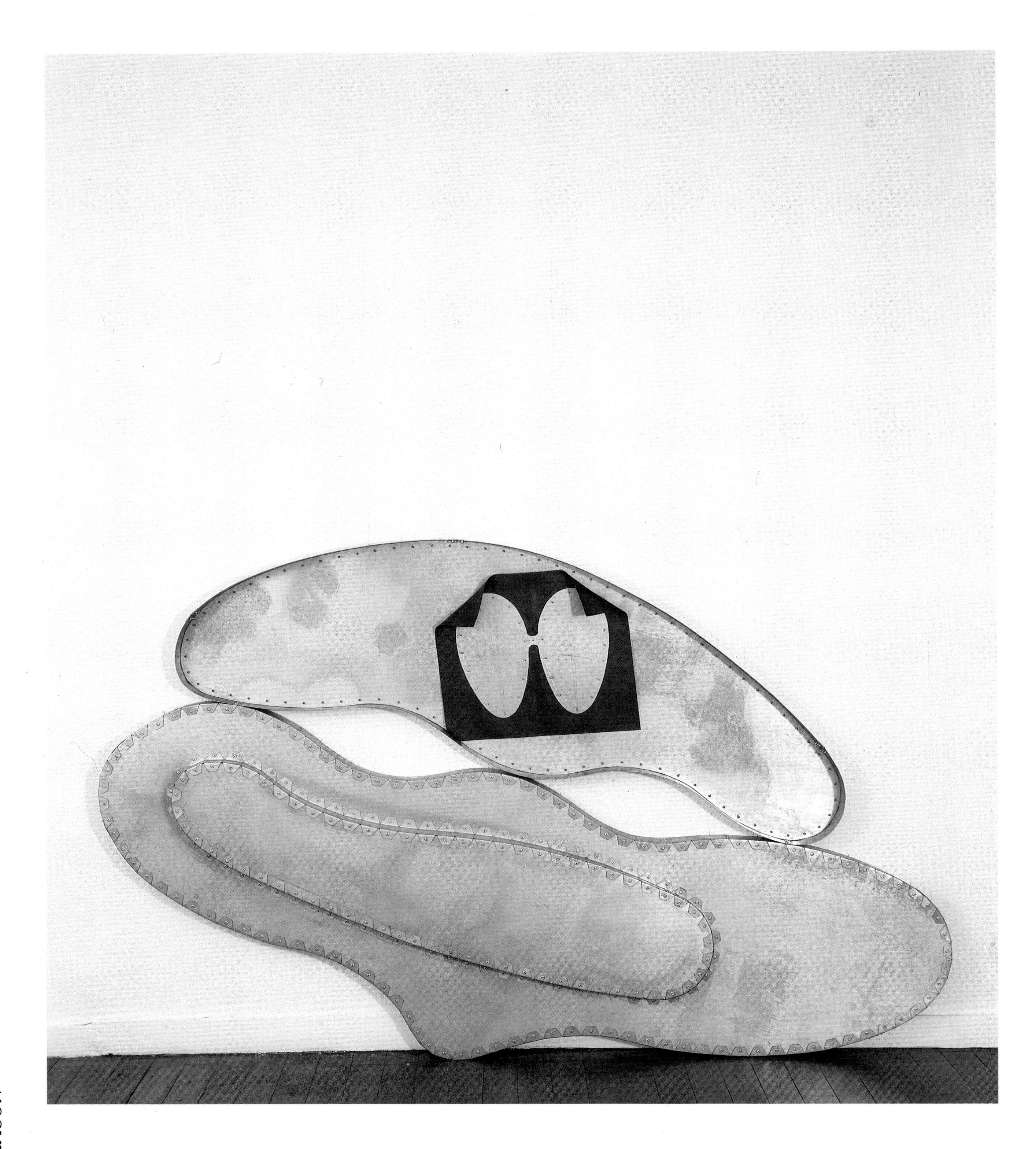

Richard DEACON

LE DOS DE MA MAIN V. 1986. Acier galvanisé, caoutchouc. 165 x 255 x 15.
THE BACK OF MY HAND V. Galvanised steel, rubber.
Courtesy Galerie Art Logos, Nantes.

LES YEUX DES AUTRES HOMMES I. 1986. Acier galvanisé, acier inoxydable, bois laminé, lino. 200 x 170 x 110.
OTHER MEN'S EYES I. Galvanised stell, stainless stell, laminated wood, lino.
Courtesy Galerie Art Logos, Nantes.

Richard DEACON

POISSON HORS DE L'EAU. 1986-87. Isorel. 245 x 350 x 190.
FISH OUT OF WATER. Laminated hardboard.
Courtesy Lisson Gallery, London.

Richard DEACON

FRAPPÉ DE MUTISME. 1988. Acier soudé avec verrous. 157 x 392 x 266.
STRUCK DUMB. Welded mild, steel with boths.
Courtesy Lisson Gallery, London.

Richard DEACON

CORPS DE PENSÉE. 1988. Aluminium, carton, acier galvanisé, cuivre. 248 x 300 x 258.
BODY OF THOUGHT. Galvanised steel, aluminium, cartboard, copper.
Courtesy Lisson Gallery, London.

BAISER ET DÉCLARATION. 1989. Epoxy, bois de construction, contre-plaqué, acier.
KISS AND TELL. Epoxy, timber, plywood, steel.
Courtesy Lisson Gallery, London.

Richard DEACON

Barry FLANAGAN est né à en 1941, à Prestatyn au Pays de Galles. Il vit et travaille à Londres.

En 1957, Barry Flanagan entreprend des études d'architecture au Birmingham College of Art and Crafts, et parallèlement suit des cours de dessin d'après nature et de sculpture. Il travaille ensuite sur les décors du film *Cleopatra*, et assiste au cours du soir d'Anthony Caro. Cependant ce n'est qu'en 1964, après avoir exercé divers petits métiers, qu'il peut s'inscrire à St Martin's School of Art, grâce à une bourse de son comté.
Ses premières œuvres connues sont des sculptures réalisées à partir de tissus, de sacs de toile colorés, de cordes et de sable. Ces sculptures sont "transportables" et Flanagan les remplit de sable sur le lieu de l'exposition. Ces œuvres, *Pdreeoo* (1965), *Sand Muslin* (1966)... sont présentées lors de sa première exposition personnelle à la Rowan Gallery à Londres en 1966. Pendant près de 10 ans, Barry Flanagan cherchera à révéler la nature sculpturale de matériaux et d'objets en apparence non-sculpturaux. "On amène rarement les choses à se découvrir elles-mêmes à la conscience sculpturale. C'est la conscience qui se manifeste, non les agents du phénomène sculptural". Tout en continuant à dessiner et à graver, l'intérêt de l'artiste pour la sculpture s'affirme, il explique : "La sculpture n'était pas prédominante dans l'idée que l'on se fait de l'art et de son histoire (...) La sculpture était moins tributaire de la pensée des autres". En 1969, il réalise son premier bronze, une tête d'Emlyn Lewis destinée à la Tenovus Foundation Emlyn Lewis Memorial Lectures. Cependant, Barry Flanagan s'intéresse à toutes les possibilités plastiques. Ainsi, au début des années 70, il réalise des dessins et des eaux-fortes, il apprend la poterie et notamment la technique Raku (méthode japonaise de cuisson de la terre). Et en 1973, à Pietrasanta, dans la région de Carrare, il apprend à tailler le marbre. "J'ai toujours voulu faire de la sculpture, trouver matériaux et techniques au même endroit, quelle merveille !". Dès lors, il se tourne vers des matériaux et des techniques traditionnels, pierre et bronze, taille, fonte et modelage. Au même moment, les premiers éléments figuratifs apparaissent dans son œuvre sculptée, dans *Tantric Godness* (1973), une anatomie de femme est gravée sur la face d'un bloc de pierre disposé horizontalement, et certains éléments sont peints.
En 1975, pendant un séjour à la campagne, Flanagan ramasse des morceaux d'une pierre "tendre et granuleuse", qu'il taille au ciseau et décore avec de la peinture, créant des figures poisson, oiseau, déesse marine, série qu'il poursuit jusqu'en 1980 avec *Bye bye, The Elephant. Clay Figure* (1975) et *Ubu of Arabia* (1976) sont les premières sculptures dans lesquelles Flanagan aborde les problèmes de verticalité et de perpendicularité. Mais c'est la représentation du lièvre, qui va lui permettre de travailler l'équilibre et le mouvement. Le lièvre peut évoquer les comportements et les caractères humains. Pour Flanagan, il est plus expressif qu'un visage humain. "Que le lièvre ait, culturellement, une place spéciale dans notre imagination, je le pense. Lors des dernières chutes de neige importantes, j'ai vu un lièvre, très à l'aise, bondissant d'est en ouest sur les Sussex Downs et il est merveilleux que mes amis aient dit, en regardant mes bronzes, que l'anatomie aide le regard de l'imagination à apprécier la cadence ou la course de ce lièvre bondissant..." Son premier lièvre est fondu le 7-11-79, et décoré à la feuille d'or. En 1981, il expose à Londres Waddington Galleries une série de ces lièvres bondissants en bronze. Puis il retourne à Pietrasanta où il modèle des maquettes ensuite agrandies et réalisées par des artisans. "J'ai su trouver ma place de créateur, en relation avec d'autres qui ont des talents spécifiques d'artisans. Ainsi, ils savent interpréter de plusieurs façons différentes les maquettes que j'ai faites. Voilà un rapport vraiment stimulant."
En 1982, Flanagan est choisi pour représenter la Grande-Bretagne à la Biennale de Venise et il expose *Leaping Hare* à la Documenta VII à Kassel.
Aujourd'hui Flanagan introduit d'autres éléments animaux dans son œuvre, confirmant ainsi son goût pour la figuration et son désir de « non identification du spectateur avec la sculpture ».

In 1957, Flanagan took up studies in architecture at the Birmingham College of Art and Crafts and followed courses on sculpture and drawing from nature. He then worked on the sets for the film *Cleopatra* and was a student at Anthony Caro's evening classes. However, it was not until 1964, after a whole series of odd jobs, that he was able to study at St. Martin's School of Art as a full-time student, thanks to a grant from the county authorities.

His first acknowledged works were sculptures made of fabric, coloured canvas sacks, rope and sand. They were 'portable' sculptures that Flanagan used to fill with sand on the site of the exhibition. The works in question — *Pdreeoo* (1965), *Sand Muslin* (1966) — were present at his first solo exhibition at the Rowan Gallery in London in 1966. For nearly ten years, Flanagan thus sought to reveal the sculptural nature of various materials and objects which, on the face of it, had nothing sculptural about them: "We seldom bring objects to reveal themselves to their sculptural awareness. Rather, it is awareness that makes itself known and not the agents of the sculptural phenomenon".

Whilst still continuing to draw and carve, his interest in sculpture became more firmly established. He explained it thus: "Sculpture was not uppermost in the idea people had of art and art history (...) Sculpture was less dependent on the opinions of others". In 1969, he produced his first work in bronze, the portrait head of Emlyn Lewis for the Tenovus Foundation Emlyn Lewis Memorial Lectures. Yet Flanagan is drawn to a range of fields in the visual arts. Thus, in the early seventies, he produced some drawings and etchings and took up pottery, notably learning how to produce it according to the Raku method, a Japanese technique for baking earthenware pots.

In 1973, whilst on a visit to Pietrasanta in the Carrare region, he learnt how to carve marble: "I had always wanted to make sculptures, and to find the materials and the techniques in the same place is so wonderful!" From then on he turned to traditional materials and techniques such as stone and bronze, carving, casting and modeling. At the same time the first figurative elements appeared in his sculpture, as in *Tantric Goddess* in which the anatomy of a woman is carved on the front of a block of stone laid horizontally, with some elements being painted. In 1975, during a stay in countryside, Flanagan began picking up pieces of a soft, granular stone that he later carved with a chisel and decorated with paint, making small figurines in the shape of a fish, a bird or a sea goddess, a series he went on to produce right up to 1980 with *Elephant. Clay Figure* (1975) and *Ubu of Arabia* (1976) were the first sculptures in which he explored the problems of verticality and perpendicularity. Yet it was with the representation of the hare that he was able to work on the principles of balance and movement. The hare is used to convey human behaviour and characteristics; as far as Flanagan is concerned, it is more expressive than a human face: "That the hare, culturally speaking, should have a special place in our imagination is beyond doubt. When the first snows came, I saw a hare, quite at ease, leaping from east to west on the Sussex Downs, and it was marvellous when my friends said to me, as they saw my works in bronze, that anatomy helps the mind's eye appreciate the pace and the speed of the leaping hare..." His first hare was cast on November 7, 1979 and decorated with gold leaf. In 1981 he exhibited a whole series of these leaping hares in bronze at the Waddington Gallery in London. After that Flanagan returned to Pietrasanta to complete some models he later enlarged and had executed by craftsmen: "I have found my position as a creative artist in relation to others who have the specific talents of a craftsman. Thus they know how to interpret in several ways the models that I have made. Here is a truly stimulating relationship".

In 1982 Flanagan was chosen to represent Great Britain at the Venice Biennale and in the same year he exhibited *Leaping Hare* at the Documenta VII at Kassel. By now he has introduced new elements into his work — the horse and the elephant — thus confirming his figurative tendency. His greatest wish is that there should be no need of "identification between the spectator and the sculpture".

Barry FLANAGAN

LIÈVRE SUR CLOCHE BOUCLÉE. 1980. Bronze. 91.4 x 50.8.
HARE ON CURLY BELL. Bronze.
Courtesy Waddington Gallery, London.

SCULPTURE N° 7. 1981. Marbre. 31,8 x 61 x 24,1.
CARVING No 7. Marble.
Courtesy Waddington Gallery, London.

Barry FLANAGAN

Barry FLANAGAN

ELEPHANT. 1981. Bronze. 47 x 41,5 x 24,1.
ELEPHANT. Bronze.
Courtesy Waddington Gallery, London.

Barry FLANAGAN

SCULPTURE N° 1. 1983. Marbre. 78 x 151 x 72.
CARVING No 1. Marble.
Courtesy Waddington Gallery, London.

Barry FLANAGAN

VOYAGEUR. 1984. Bronze. 216,5 x 47 x 78,5
VOYAGER. Bronze.
Courtesy Waddington Gallery, London.

Barry FLANAGAN

CEUX QUI BOXENT. 1985. Bronze. 201,9 x 167,5 x 73,5.
THE BOXING ONES. Bronze.
Courtesy Waddington Gallery, London.

Barry FLANAGAN

CHEVAL A DEUX DISQUES. 1988-89. Bronze. 80 x 65 x 35
TWO DISC HORSE. Bronze.
Courtesy Waddington Gallery, London.

LIÈVRE SUR BALLE ET GRIFFE. 1989-90. Bronze. 335,3 x 121,9 x 91,4.
HARE ON BALL AND CLAW. Bronze.
Courtesy Waddington Gallery, London.

Dan FLAVIN est né le 1er avril 1933 à New York. Il vit et travaille à New York.

Selon le souhait de sa famille, Dan Flavin prépare le séminaire de Brooklin pour devenir prêtre, mais en 1952, il quitte le séminaire et s'inscrit d'abord à l'université de Maryland, puis fréquente la Hans Hofman School et la New School for Social Research. Enfin de 1957 à 1959, il suit les cours de dessin et de peinture de Columbia University. Il réalise alors des collages et des peintures sur bois de petites dimensions, très expressionnistes comme *Apollinaire blessé*. En 1961, la Judson Gallery de New York organise sa première exposition personnelle, c'est à cette époque que s'amorce un changement dans le travail de Flavin. "En 1961, je me suis lassé de mon idylle, qui avait duré 3 ans, avec l'art en tant que pratique tragique". A partir de là, Flavin travaille pendant deux ans à une série de peintures dont les angles et les contours sont marqués par des ampoules électriques, qu'il appelle icônes. "Peut-être ai-je appelé icônes ces objets peints lumineux parce qu'ils me rappellaient un peu quelque antécédent religieux russe. Parce que je ressentais le besoin d'ajouter à leur existence en tant qu'objet d'art une identification respectable historique". 1963 : Dan Flavin crée ses premiers travaux "minimalistes" n'utilisant comme matériau que des tubes fluorescents. Son travail ne porte que sur l'artifice, la lumière artificielle.
Il accroche sur le mur de son atelier, un simple tube de lumière fluorescente qu'il intitule *Diagonale de l'extase personnelle* et qu'il dédie à Constantin Brancusi. Quatre ans plus tard, pour son exposition au Musée d'Art Contemporain de Chicago, Flavin conçoit l'une des premières installations *Pink and Gold*. Puis il réalise une série de "sculptures" dédiées à Vladimir Tatline dans lesquelles des tubes fluorescents sont assemblés de façon symétrique et équilibrée. La lecture de l'œuvre nécessite alors un discours : "Mon intérêt pour la pensée de l'artiste russe, Vladimir Tatline, fut suscité par l'attitude frustrée, obsessionnelle de cet homme dans sa tentative de combiner l'art et la technique. Les pseudo-monuments, conceptions structurales pour éclairage fluorescent passagèrement "blanc industrie", devaient honorer l'artiste d'une manière ironique".

Dan Flavin attache bientôt beaucoup d'importance au travail "in situ". Dans des lieux publics, il est à la recherche d'une adaptation à un espace donné, qu'il choisit et "s'approprie" comme en 1976 avec l'installation de lumière à Grand Central Station. "Je ne veux pas me poser en rival grandiose de l'architecture ou des espaces publics. Comme par le passé, je veux continuer à adapter mon art aux lieux publics de manière attentive et complémentaire". Flavin utilise l'architecture des lieux, ses lignes et ses points que l'on néglige, que l'on ne regarde pas. Dans son travail, c'est l'espace qui est œuvre d'art, espace qu'il éclaire en lui conférant ainsi une réalité et un sens nouveaux.
Au cours des années 80, Flavin poursuit son œuvre, soulignant constamment ce désir de travailler en collaboration avec l'architecture. "J'ai déjà donné au monde beaucoup de belles œuvres d'artifice, de lumière artificielle. Maintenant, je préfère être inspiré des situations. Offrez-moi un site à éclairer et je concevrai une installation qui le mette en relief. Et plus ce sera grand, mieux ce sera (je suis très américain dans ce sens)".
L'œuvre de Flavin confirme sa présence internationale. En 1982, le Guggenheim Museum de New-York lui consacre une grande rétrospective. En 1984, il participe à Bâle à l'exposition "Skulptur im Jahrhundert" et l'année suivante à "Art minimal I" à Bordeaux, car même si Flavin juge le terme trop réducteur, son nom n'en reste pas moins lié au mouvement Minimal. Dans le catalogue de cette exposition, il confie : "... Avant que je n'oublie, s'il vous plait, ne parlez pas de sculpture en ce qui concerne mon œuvre, ou de moi en tant que sculpteur... Je me sens éloigné de problèmes de sculpture et de peinture, mais il n'est nul besoin de me re-étiqueter." En 1987, son œuvre est présentée au Stedelijk Museum à Amsterdam et au Musée Saint-Pierre à Lyon. Aujourd'hui de telles expositions révèlent qu'à la fin des années 80, si Dan Flavin reste, avec certains artistes de sa génération des années 60, symbole de propositions plastiques radicales, minimalistes, les travaux récents de ses installations "in situ" donnent une autre dimension à son œuvre précisemment inétiquetable.

In accordance with the wishes of his family, Dan Falvin began to train to be a priest at the Brooklyn seminary only to leave in 1952. He then became a student at Maryland University and later went to the Hans Hofman School and the New School for Social Research. Later, from 1957 to 1959, he attended Columbia University's course on painting and design. At that time he produced collages and small paintings on wood that were extremely expressionistic, such as his *Apollinaire wounded.*
In 1961 New York's Judson Gallery organized his first solo exhibition and it was around this period that a certain change appeared in Flavin's work. In his words: "In 1961 I grew tired of my idyll that had lasted three years with art as a form of tragedy". From then on, Flavin worked for two years on a series of paintings outlined with electric light-bulbs which he called "icons": "I perhaps called them icons because these painted objects lit up reminded me somewhat of some religious Russian antecedent. Or because I felt the need to add some historically respectable identification to their existence as work of art".
In 1963 Dan Flavin produced his first "minimalist" works using fluorescent tubes of lighting as his sole material, concentrating thus on artifice through artificial lighting. He hung up on the wall of his studio a bear tube of fluorescent light which he entitled *Diagonal of personal ecstasy* and dedicated it to Constantin Brancusi. In 1967, for his exhibition at Chicago's Museum of Contempory Art, Flavin created one of his first installations, *Pink and Gold.* Then he produced a series of sculptures dedicated to Vladimir Tatlin in which he assembled fluorescent tubes of lighting in a symmetrical and balanced manner. To better aid the interpretation of the work, Flavin produced an introductory passage: "My interest in the thinking of the Russian artist Vladimir Tatlin was brought about by the artist's frustrated and obsessional attitude present in his attempt to combine art and technique. These pseudo-monuments, structural conceptions for fleetingly "industrial white" fluorescent lighting, were meant to honour the artist in an ironic fashion". From then on Flavin accorded much importance to work *in situ* in public places. His wish is to adapt to a given space which he chooses and "appropriates" as in 1976 with the installation of light in New York's Grand Central Station. Explains Flavin: "I do not want to set myself up as the grand rival of architecture or of public places. As in the past, I want to continue to adapt my art to public places in an attentive and complementary manner". Flavin uses the architecture of the sites, their lines and points that we ignore or fail to see. In his work the space is the work of art, a space he lights up thus conferring upon it a new reality and meaning. Throughout the eighties Flavin continued his work and constantly emphasised his wish to work in collaboration with architecture: "I have already given the world many beautiful works of artifice, of artifical light. Now, I prefer to be inspired by situations. Give me a place to light up and I will come up with an installation that will make it stand out. And the bigger the place, the better. (In this much, I am very American!)". Flavin's work ensured him the status of a confirmed artist on the international art scene. In 1982 New York's Guggenheim Museum organized a retrospective of his work. In 1984 he took part in the exhibition "Skulptur in Jahrhundert" in Basel and the following year in the "Art Minimal" exhibition in Bordeaux. For even if Flavin considers the term too restrictive, his name is nevertheless associated with the Minimalist movement. In the catalogue of the Bordeaux exhibition, Flavin tells us this: "Before I forget, please do not speak of me as a sculptor... I feel I am far from the problems of sculpture and painting, so there is no need to re-label me". In 1987 his work was presented at the Stedelijk Museum in Amsterdam and the Saint-Pierre Museum in Lyon. Today, at the end of the eighties, such exhibitions only show that, although Flavin, along with many artists of his generation of the sixties, is still the symbol of radical minimalist plastic propositions, his recent installations *in situ* offer another dimension to his work for the simple reason that they cannot be "labelled".

Dan FLAVIN

MONUMENTS POUR V. TATLIN. *1982.*
MONUMENTS FOR V. TATLIN.
Courtesy C.A.P.C. Musée d'Art Contemporain de Bordeaux.

A. KSENIJA. 1985. Ht : 244.
TO KSENIJA.
Courtesy Pierre Huber Galerie, Genève.

Dan FLAVIN

A CHARLOTTE. 1987. Ht : 122.
TO CHARLOTTE.
Courtesy Pierre Huber Galerie, Genève.

A ISABELLE LA BELLE LYONNAISE. 1987. 1 600 m³ de lumière fluorescente.
TO ISABELLE LA BELLE LYONNAISE. 1 600 m³ of fluorescent light.
Courtesy Musée d'Art Contemporain de Lyon.

Dan FLAVIN

AUX CITOYENS DES CANTONS SUISSES. 1987. 3 rouges et une lumière fluorescente douce blanche. 122 Long.
TO THE CITIZENS OF SWISS CANTONS. 3 red, 1 soft white fluorescent light.
Courtesy Musée d'Art Contemporain de Lyon.

AUX CITOYENS DE LYON. 1987. 750 m³ de lumière fluorescente.
TO THE CITIZENS OF LYON. 750 m³ of fluorescent light.
Courtesy Musée d'Art Contemporain de Lyon.

Dan FLAVIN

A LUCIE RIE, MASTER POTTER. 1990. 183 x 42,4 x 60.
TO LUCIE RIE, MASTER POTTER.
Courtesy Waddington Gallery, London.

Dan FLAVIN

A LUCIE RIE, MASTER POTTER. 1990. 183 x 42,4 x 60.
TO LUCIE RIE, MASTER POTTER.
Courtesy Waddington Gallery, London.

Yannis KOUNELLIS est né en 1936, au Pirée en Grèce. Il vit et travaille à Rome.

En 1956, suivant les traces de nombreux artistes et intellectuels grecs, Kounellis quitte son pays et s'installe à Rome. "Je suis un individu grec mais un artiste italien".
En 1958, encore étudiant à l'Académie des Beaux-Arts, il expose ses premières œuvres : des peintures abstraites élaborées avec des signes, des chiffres et lettres. Et, en 1965, il cesse de peindre, il repense son rapport à l'Art. C'est au terme de deux années de silence et de réflexion, qu'il oriente son travail vers la sculpture, sans pour autant jamais cesser de peindre. Il participe alors à la première exposition organisée par Germano Celant à l'origine du "mouvement" Arte Povera. L'utilisation de matériaux naturels : charbon, coton, café, fleurs, et de matériaux pauvres marque son désir de se détourner de la fascination technologique. Kounellis réalise ses premières installations de sacs de toile de jute et travaille aussi avec le feu.
Pour Kounellis le feu, symbole de destruction et de transformation, réfère au processus de changement social et culturel qui agite l'Italie en cette fin des années soixante. Idéal politique et esthétique sont intimement liés, et les utilisations du feu, des flammes, des cendres sont recurrents dans son œuvre ; de la fleur de métal avec la bouteille de camping gaz de 1967, aux flammes s'échappant de petits tuyaux de cuivre en 1985. Kounellis est l'artiste du feu.
Il lui arrive aussi de faire des installations de "matériaux" vivants. En 1967, il introduit un perroquet à la Galerie L'Attico et en 1969, douze chevaux. "Mettre des chevaux dans cet espace permettait de créer une tension, une rupture de la communication de l'art. Dans une situation comme celle de 1969, il ne fallait pas procéder par étapes mais par tensions radicales". A partir des années soixante-dix, Kounellis fait du fragment son matériau et son thème, influencé par l'œuvre de Giorgo de Chirico comme beaucoup d'artistes italiens de sa génération. Pour Kounellis le fragment n'est significatif que comme un rappel d'une totalité perdue. Il dit de son travail : "C'est l'iconographie de l'iconoclasme." Il utilise même des fragments de statuaires grecques dans ses sculptures. Le thème du fragment comme les thèmes de la vision bouchée et de la trace du feu demeurent des constantes de son travail.
Il réalise également des installations variées unissant musique et sculpture par exemple, comme en 1970 : un pianiste devant un piano à queue, dans une grande salle blanche répétant deux phrases du Nabucco de Verdi, ou en 1971, un fragment de musique de Bach écrit sur une toile et un violoncelliste joue et rejoue ce passage. En 1973, cette période musicale s'achève.
Ses installations témoignent désormais d'une réflexion historique, mythologique, il y introduit des fragments de sculptures classiques. Puis des thèmes récurrents : portes murées, sacs, feu, réapparaissent et dans les années 80, les œuvres de Kounellis deviennent plus élaborées : accumulations évoquant des ruines ou tableaux muraux chargés d'éléments fragmentés répétés. Initiateur avec les artistes de l'Arte Povera de la fin des années 60, Kounellis demeure selon les termes de Germano Celant en parfaite "syntonie dans le monde" de la création artistique d'aujourd'hui.

In 1956, following in the footsteps of many Greek artists and intellectuals, Yannis Kounellis left his country and settled in Rome. In his own words: "I am a Greek individual but an Italian artist".
In 1958, while still a student at the Academy of Fine Arts, he exhibited his first works: abstract paintings fraught with signs, numbers and letters. Yet in 1965 he ceased to paint to rethink his relationship to art. It was only after two years of silence and thought that he geared his work to sculpture, although he still continued to paint. It is then that he took part in the first exhibition organised by Germano Celant, which marked the emergence of the *Arte Povera* movement. Kounellis' use of natural material such as coal, cotton, coffee, flowers and humble materials expresses his desire to turn his back on a certain fascination with the technological. He produced his first installations with jute sacks and also work with fire, the symbol of destruction and transformations which so typified the process of social and cultural change that was shaking the very foundations of the Italy of the late sixties. For Kounellis the political ideal and aesthetics are closely linked, therefore the various uses of fire - flames and ash amongst other things - are recurring themes in his work, the most striking examples being the precipitation of metal with the camping-gas cylinder (1967) and the flames leaping out of small copper pipes in 1985. Thus Kounellis can be said to be the artist of fire. He also produced installations with live "material": in 1967 he brought a live parrot to the Attico Gallery and in 1969 he brought along twelve horses. Kounellis explains: "Putting horses into this space enabled me to create a certain tension, a break-down in communication. In such circumstances as those of 1969, one had to proceed by doses of radical tension, not by mere steps".
From the seventies onwards Kounellis chose the fragment as both material and theme of predilection, and, in this much, he bears the influence of the works of De Chirico, as do many Italian artists of Kounellis' generation. For Kounellis the fragment only has significance as a reminder of some lost totality. He says of his work: "It is the iconography of iconoclasm". He even goes as far as to use fragments of Greek statues as part of a more complex sculpture. Indeed, the theme of the fragment as hidden view and the trace of fire remain the major motifs of his art. However, he also produced varied installations bringing together music and sculpture, as in 1970, for instance when he sat a pianist down in front of a grand piano in a large white concert-room to play two themes from Verdi's *Nabucco* over and over again; or again in 1971, the white canvas on which was written a fragment of J.S. Bach that a cellist plays again and again. 1973 saw the end of this musical period. From then on his installations testify to a certain reflection of a historical or mythological nature, introducing fragments of classical sculptures. Then we meet up again with the recurring themes of the walled-up door, the sacks and fire, only to find in the eighties that Kounellis's works have become more complex: accumulations evoking ruins or murals bristling with repeated series of fragmentary elements.
As one of the pioneering "breakers of new ground" among the artists of the sixties, Kounellis is still, in the words of Germano Celant, "in perfect harmony" with the artworld of today through his expression of *Arte Povera.*

Yannis KOUNELLIS

SANS TITRE. 1983.
UNTITLED.
Courtesy Galerie Liliane et Michel Durand-Dessert, Paris.

Yannis KOUNELLIS

SANS TITRE. 1985.
UNTITLED.
Courtesy Galerie Liliane et Michel Durand-Dessert, Paris.

Yannis KOUNELLIS

SANS TITRE. 1985.
UNTITLED.
Courtesy Galerie Liliane et Michel Durand-Dessert, Paris.

Yannis KOUNELLIS

SANS TITRE. 1988. 150×78×75-270×120×35.
UNTITLED.
Courtesy Galerie Sparta, Chagny.

Yannis KOUNELLIS

RELIEF. 1989. Plomb, fer. 100×144,5×10,5.
RELIEF. Lead, steel.
Courtesy Galerie Lelong, Paris.

Yannis KOUNELLIS

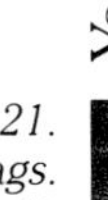

SANS TITRE. 1989. Plomb, acier, sacs de jute. 204×184×21.
UNTITLED. Lead, steel, jute bags.
Courtesy Galerie Lelong, Paris.

Yannis KOUNELLIS

SANS TITRE. 1990. Acier, corde, creuset. 200×7200×35.
UNTITLED. Steel, rope, crucibles.
Courtesy Anthony d'Offay Gallery, London.

SANS TITRE. 1990. Acier, lampes à pétrole. 200×112×230.
UNTITLED. Steel, paraffin lamps.
Courtesy Anthony d'Offay Gallery, London.

Sol LEWITT est né en 1928 à Hartford dans le Connecticut. Il vit et travaille à New York et à Spoleto en Italie.

Après des études universitaires, Sol LeWitt entre à la Cartoonists and illustrators School. Ensuite, à partir de 1955 il exerce différentes activités plus ou moins en rapport avec sa formation, notamment collaborateur de l'architecte I.M. Pei. C'est en 1963 alors que Sol LeWitt est gardien de musée au Museum of Modern Art of New York qu'il fait la connaissance d'artistes : Dan Flavin, Robert Mangold.
Sol LeWitt depuis 1960 fait un travail plastique, de compositions influencées par le constructivisme, par De Stijl, le Bauhaus. Il expose ses premières œuvres dans une exposition collective dans l'église Saint Marc à New York en 63, où il réalise sa première exposition personnelle en 65.
Sol LeWitt conçoit des œuvres très géométriques construites selon des critères précis arbitrairement déterminés concernant la couleur ou les espaces. Du blanc, il vient au noir en 65, époque où il adopte "le rapport 1/8,5 pour les espaces entre le(s) matériau(x)..."
En 1965 apparaissent les premières structures modulaires cubiques ou *Open cubes.*
LeWitt publie des textes théoriques accompagnant son travail, notamment en 1967 : *Paragraphe of conceptuel Art,* texte dans lequel il définit pour la première fois le terme d'art conceptuel : "je qualifierais l'art par lequel je m'exprime en Art Conceptuel. Dans cet Art Conceptuel, l'idée ou le concept est l'aspect le plus important du travail."...
En 1968, Sol LeWitt crée les premiers *Wall Drawings* dessins muraux constituant la mise en perspective à plat de sa précédente recherche sculpturale.

"Par réaction contre l'idée selon laquelle l'artiste s'exprime tout au long de la production de l'œuvre, j'étais à la recherche d'une méthode d'organisation plus objective... J'ai réalisé des tableaux tri-dimensionnels avec des mots et des formes. Ces formes provenant de photographies sérielles de Muybridge... Ces pièces sont désignées sous le nom de structures parce qu'elles ne sont ni des peintures ni des sculptures, mais les deux à la fois..."
Dans cette sorte de distanciation de l'œuvre que s'impose Sol LeWitt, ses œuvres, les *Wall Drawings,* sont réalisés le plus souvent par des assistants qui peignent ou dessinent sur les murs. LeWitt n'en donne pas de croquis préalables, mais ce sont ses consignes énoncées par écrit qui servent à l'exécution de ses œuvres.
Depuis la fin des années 70 Sol LeWitt poursuit son œuvre fidèle aux écrits qui accompagnent ses travaux, qu'ils soient des structures en trois dimensions ou des peintures murales, ces dernières éphémères et refaites dans chaque lieu d'exposition, "quand un artiste utilise une forme conceptuelle d'art, cela signifie que tout ce qui concerne la programmation ou les décisions est accompli d'avance et que l'exécution est une affaire sans importance..."
Si LeWitt a introduit au long des années des "matériaux nouveaux" dans la réalisation de ses œuvres, celles-ci sont restées fondamentalement identiques. Et comme dans les années 60-70, Sol LeWitt demeure présent dans les années 80 sur la scène artistique internationale, à la Biennale de Venise en 80, à Amsterdam au Stedelijk Museum en 84 en France au CAPC de Bordeaux.

was born in 1928 in Hartford, Connecticut. He lives and works in New York and Spoleto, Italy.

After leaving college int the mid-fifties, LeWitt went to the Cartoonists and Illustrators School. From 1955 onwards he worked in a variety of jobs loosely connnected to what he had trained for, and once worked for the architect I. M. Pei. In 1963, while working as a warden in New York's museum of Modern Art, he became acquainted with such artists as Dan Flavin and Robert Mangold.

Since 1960 LeWitt has been working on visual arts, more especially on compositions which bear the influence of constructivism, the works of De Stijl and the Bauhaus. His first works were exhibited in a collective exhibition organized at New York's Saint Mark's Church in 1963, where he was later to hold his first solo exhibition in 1965.

Sol LeWitt creates extremely geometrical pieces composed according to precise criteria arbitrarily determined as far as colour and space are concerned. From working on white he moved on to black in 1965 when he adopted the "8,5 scale for the spaces between the material(s)".

His first modular cubic structures or *Open cubes* appeared in 1965.

LeWitt has published numerous pamphlets to accompany his work, notably his *Paragraph of Conceptual Art* in which he defines the term "conceptual art" for the first time : "I would describe the art I choose to express myself in as Conceptual Art. In Conceptual Art the idea or the concept is the most important aspect of the work."

In 1968 LeWitt created his first *wall Drawing*, a mural consisting of a two-dimensional perspective of his previous sculptural experiments. LeWitt explains thus : "As a reaction against the notion that the artist expresses himself all through the production of the work of art, I chose to seek a more objective method of organization... I produced three-dimensional paintings with words and forms. The forms came from the serial photographs of Muybridge. These works are called structures because they are neither paintings nor sculptures but both at once."

In this kind of distancing of the work of art that Sol LeWitt has imposed, his works - the *Wall Drawings* for example - are carried out more often than not by assistants who paint or draw on the wall, LeWitt does not provide them beforehand with any sketches but rather he gives written instructions which are used to produce the work of art.

Since the end of the seventies Sol LeWitt has continued in this vein, faithfully adhering to the pamphlets accompanying his work, whether they be three-dimensional structures or mural paintings, the latter ephemeral in nature and recreated in each exhibition. In LeWitt's words : "When an artist uses a conceptual form of art, this means that everything is decided and programmed beforehand and the execution of the work is of no importance".

Although LeWitt has brought new "materials" along the years into the production of his works, they remain fundamentally the same. For an artist whose name is essentially associated with the sixties and seventies, Sol LeWitt is still present on the international art scene in the eighties, be it at the 1980 Venice Biennale or the Stedelijk Museum in 1984 or more recently at the CAPC in Bordeaux, France.

Sol LEWITT

WALL DRAWING. 1984. Technique mixte sur papier. 260 x 600.
WALL DRAWING. Mixed media on paper.
Courtesy Galerie Daniel Templon, Paris.

WALL DRAWING. 1984.
WALL DRAWING.
Courtesy Galerie Sparta, Chagny.

Sol LEWITT

STRUCTURE AVEC TROIS TOURS. 1986. Bois peint.
STRUCTURE WITH 3 TOWERS. Painted wood.
Courtesy John Weber Gallery, New York.

FORMES COMPLEXES. 1988. Email sur bois.
COMPLEX FORMS. Enamel on wood.
Courtesy John Weber Gallery, New York.

Sol LEWITT

WALL DRAWING. 1984-88. Kunsthalle Bern. 1989.
WALL DRAWING.
Courtesy John Weber Gallery, New York.

Sol LEWITT

PYRAMIDE. 1988. 500 x 500.
PYRAMID .
Courtesy John Weber Gallery, New York.

Sol LEWITT

PARAVENT PLIANT. 1989. Encre de couleur sur bois.
FOLDING SCREEN. Colored ink on wood panel.
Courtesy John Weber Gallery, New York.

21 B. 1989. Bois peint.
21 B. Painted wood.
Courtesy John Weber Gallery, New York.

Richard LONG est né à Bristol en 1945. Il vit et travaille à Bristol.

Pour Richard Long tout débute alors que petit enfant il parcourait la nature, collectant pierres, cailloux, brindilles ou terre. Aujourd'hui, "père" du Land Art, il explique volontiers qu'il continue à faire dans la vie ce qu'il aimait faire enfant : marcher dans le paysage.
Après des études à Bristol School of Art, Long entre à St Martin's School of Art. En 1967, il étudie encore la sculpture auprès d'Anthony Caro, lorsqu'il réalise *A Line made by walking* simple trace obtenue en écrasant l'herbe d'un pré, ligne éphémère fixée par la photographie. Cette première œuvre, conçue lors d'une promenade dans la campagne anglaise, marque le début d'une longue marche à travers le monde. Pour Richard Long, la terre qu'il foule est la matière première, et ce sont les marches, les "walks" qui sont les œuvres véritables. "Ce que j'ai choisi, c'est de faire de l'art en marchant, en utilisant des lignes et des cercles, ou des pierres et des jours. Les choses et les activités qui ont pour moi un sens." A partir de cette marche, l'œuvre de Long se crée, prend forme, prend plusieurs formes : créations sur le terrain, photographies, tracés topographiques, liste de mots descriptifs, sculptures "intérieures" témoins de la marche précédente.
Le travail de Richard Long s'inscrit dans le courant artistique de la fin des années soixante, allant vers une dématérialisation de l'œuvre d'art. On peut repérer des liens avec l'Art Conceptuel dans le choix de l'utilisation des mots comme véhicule de l'art et avec l'art Minimal dans les sculptures composées d'un seul matériau, trouvé et inchangé. Art Conceptuel et Art Minimal privilégient l'idée. Ainsi Long déclare : "L'art est beau si l'idée est belle."
L'œuvre de Long qu'il s'agisse des sculptures extérieures ou intérieures traduit une harmonie avec l'environnement, un respect des matériaux naturels. "J'espère travailler pour la terre et pas contre". Au cours de ses marches, il réalise soit des traces, lignes, cercles, croix, soit des assemblages de matériaux (le plus souvent des pierres), selon une organisation archaïque rappelant les sites préhistoriques, comme *A circle in Ireland county clare* (1975).
Ces œuvres de "terrain", nous sont transmises par l'intermédiaire de la photographie, et les titres situent les sculptures dans l'espace, *Walking a line in Peru* (1972), *A line in the Sahara* (1988)... dévoilant au passage les rapports privilégiés de l'artiste avec les lieux les plus isolés de la planète.
Des cartes nous rendent compte de l'itinéraire précis de la marche et sont accompagnées d'une légende apportant des informations très détaillées concernant temps, distances, dates... Les *Worlds pieces* évoquent la marche sur le mode incantatoire. Les sculptures "intérieures" sont constituées de plusieurs unités d'un seul matériau trouvé au cours d'une marche. Ces œuvres souvenir d'une marche passée, sont créées in situ, Long les dénomme en général en fonction de leur origine, *Bordeaux slate line* (1985), *Swiss granit ring...*
En 1976, Richard Long représente la Grande-Bretagne à la Biennale de Venise. Au début des années 80, il commence les *Mud drawings.* Utilisant de la boue de l'Avon, le fleuve qui baigne Bristol, "C'est la meilleure couleur", il la projette contre un mur et la laisse s'écouler en traces aléatoires, ou dessine à même le mur un cercle en trempant ses mains dans la boue.
En 1986, le Guggenheim Museum organise une grande exposition personnelle. En 1988, il obtient le Ludwig Kunst Preis à Aix la Chapelle et en 1989 le Turner Prize à Londres. De son œuvre, Long dit avec humour : "Mon travail est autobiographique dans la mesure où je l'ai fait... Mon œuvre est réelle ; ni illusoire, ni conceptuelle. Elle traite des pierres réelles, du temps réel, des actions réelles."

Richard Long's career began when, as a small child, he used to roam the countryside collecting all sorts of things - stones, pebbles, sticks and earth. Today, as the "father" of Land Art, he willingly admits that he still does what he most loved to do when he was a child - walk the landscape. After studying at the Bristol School of Art, Long went to St. Martin's School of Art. In 1967, whilst still a student of the sculptor Anthony Caro, he produced *A line made by walking,* a simple trace left by treading on the grass of a meadow, a transient line recorded by a photograph. This first work, imagined during a walk in the English countryside, heralded the beginning of a long trek all over the world. For in Richard Long's art, the earth he treads is his raw material; his "walks" are his true works:"What I've chosen to do is to produce art by walking and by using lines, circles, stones and days. These are the things and the activities that have meaning for me". "With" this activity of walking as a starting-point, Long's art comes into its own, takes shape, takes several shapes in the form of outdoor creations, photographs, topographical lines, written description and "interior" sculptures bearing witness to a previous walk.

His work belongs to the artistic trend of the late sixties since it tends towards the dematerialisation of the work of art. Certain features are shared with Conceptual Art, as in the choice of words as vehicle of art, or with Minimal Art in the sculpture made of one single material, the *objet trouvé* stumbled upon untouched. Both these movements in art give priority to the idea and it is in the light of this that Long declares that "Art is beautiful if the idea is beautiful." His work, whether it be his outdoor or indoor sculptures, embodies a certain harmony with the environment, a respect for natural materials. In Long's words: "I hope I am working for the earth and not against it." During his walks he produces traces, lines, circles, crosses or assemblages of material - mostly stones - all reminiscent of the archaic order of prehistoric sites, as in his *A circle in Ireland, County Clare* (1975). His "field" works are transposed through the medium of photographs whose titles situate the sculptures in space - *Walking a line in Peru* (1972), *A line in the Sahara* (1988). They thus reveal *en passant* the special ties between Long and some of the most isolated places in the world. Maps show us the precise route the artist followed during his "walk" and on them a scale gives very detailed information about weather, mileage and time. Long's *Word pieces evoke* walking in an incantatory fashion. The "indoor" sculptures are composed of several units of one single material found during a walk and, as they bear witness to a past walk, they are created *in situ*, Long generally names them according to their origin, such as *Bordeaux slate line* (1985) or *Swiss granite ring.*

In 1976 he represented Great Britain at the Venice Biennale. At the beginning of the eighties he began work on his *Mud Drawings*, using the mud from the River Avon because "it's the best colour". He throws the mud onto the wall and lets it trickle down in arbitrary traces or he even draws a circle on the wall itself after dipping his hands in the mud. In 1986 the Guggenheim Museum organized a large solo exhibition. In 1988 he was awarded the Ludwig Kunst Preis in Aachen and in 1989 the Turner Prize in London. Not without a tinge of humour, Long says of his work: "My work is autobiographical in as much as I produced it ... My art is real, there is no illusion, no concept. It deals with real stones, real time and real actions."

Richard LONG

SCULPTURES 1981.
SCULPTURES.
Courtesy CAPC. Musée d'art contemporain de la ville de Bordeaux.

Richard LONG

SIX CERCLES DE PIERRE. 1981. Φ730.
SIX STONE CIRCLES.
Courtesy Anthony d'Offay Gallery, London.

Richard LONG

LIGNE DE DUBLIN. 1984. 80 × 1230.
DUBLIN LINE.
Courtesy Anthony d'Offay Gallery, London.

LIGNE D'ARDOISE DE BORDEAUX. 1985. 414 × 150.
BORDEAUX SLATES LINE.
Courtesy CAPC. Musée d'Art Moderne de Bordeaux.

Richard LONG

CERCLE D'ARDOISE ROUGE. 1988. Φ400
RED SLATE CIRCLE.
Courtesy Anthony d'Offay Gallery, London.

CERCLE DE SÉCHERESSE. 1989. Ø 300.
DROUGHT CIRCLE.
Courtesy Galerie Sparta. Chagny.

Richard LONG

Richard LONG

CERCLE D'ARDOISE D'HALIFAX. 1989. Ardoises de Cornouailles. Ø660.
HALIFAX SLATE CIRCLE.
Courtesy Anthony d'Offay Gallery, London.

CERCLE DE CHARBON. 1989. Blocs de charbon. Ø100.
COAL CIRCLE. Thick cut coal.
Courtesy Anthony d'Offay Gallery, London.

Markus LÜPERTZ est né le 25 avril 1941 à Liberec. Il vit et travaille à Düsseldorf.

Originaire de Bohême, en 1948, la famille de Lüpertz s'installe en Rhénanie. Lüpertz étudie la peinture à l'école des Arts Appliqués de Krefeld, il séjourne quelques temps dans un couvent. Ses premières œuvres, de grandes crucifixions, sont empreintes de mysticisme. Lüpertz travaille à la mine, puis à la construction de routes et poursuit ses études à l'Académie des Beaux-Arts de Düsseldorf.
En 1962, à Berlin, il réalise ses premières peintures "dithyrambiques", se référant à la définition antique de dithyrambe : chant de louange en l'honneur du dieu Dyonisos. Jusqu'à la fin des années 70, Lüpertz accolera ce terme "dithyrambisch" à ses titres. Il peint alors les objets du quotidien sortis de leur cadre de référence habituel, des formes isolées en suspension posées dans l'espace de la toile, et par la suite des décompositions dans la série *les troncs* (1966). Et plus tard, il crée des alignements d'un même élément, composés de plusieurs tableaux ou formant une grande frise. Comme l'explique Siegfried Gohr, le dithyrambe de Lüpertz est une provocation par laquelle, il dénonce des problèmes de société alors en plein essor socio-économique. "Markus Lüpertz met à jour ce que notre époque refoule, éclaire les zones d'ombres qui, indépendamment de notre volonté, ne cessent d'envahir notre belle modernité". En 1964, il fonde avec des amis peintres, la galerie "Grossgörchen 35", où il présente ses premières œuvres parmi lesquelles des sculptures-maquettes (1966) détruites à la fin de l'exposition.
En 1966, il publie un manifeste. "Le Dithyrambe que j'ai inventé rend le charme du XXème siècle perceptible".
En 1970, Markus Lüpertz obtient le prix de la Villa Romana et séjourne un an à Florence. Les "Deutschen Motive", *Casques en train de sombrer-dithyrambique* apparaissent dans son travail. Les éléments présents dans ses toiles se multiplient comme dans le triptyque *Apocalypse-dithyrambique* (1973).
Lüpertz aquiert la célébrité et la critique allemande se livre à la controverse... accusant de fasciste sa peinture qui exhibe des objets maudits dans l'Allemagne d'après-guerre. Lüpertz juge lui ses œuvres suffisamment ouvertes pour signifier une chose et son contraire.
A partir de 1974, Lüpertz diversifie ses activités, il enseigne à l'Académie nationale, participe à l'organisation de la première Biennale de Berlin en 1977.
Avec *Pferde-Bilder* (Chevaux-Tableaux) et *Mann in Anzug* (homme en costume) il inaugure ce qu'il dénomme sa *Stil-Malerei* (Peinture de style). Plaçant l'abstraction au centre de ses préoccupations, la forme devient motif. C'est ainsi qu'au début des années 80, Lüpertz crée ses premières sculptures. Des œuvres d'inspiration africaine, peintes en noir, blanc, bleu et rouge, créées parallèlement à ses tableaux "africains". Lüpertz dit à propos de son travail : "Je suis peintre et ma sculpture est une sculpture de peintre (...) Affronter le bronze ou la terre est un moyen de reculer les limites de la peinture".
En 1982, il participe à la Documenta VII à Cassel et crée le décor de l'opéra *Vincent* de Rainer Kunad. Et d'un cycle de tableaux sur le thème *Alice au pays des merveilles,* naissent des sculptures de bronze peint utilisant la technique du collage. En 1983, il publie *Poèmes 1961-1983,* puis il enseigne alors à l'Académie d'été de Salzbourg.
En 1986 il est nommé professeur à l'Académie Nationale des Beaux-Arts de Düsseldorf. Dans ses sculptures récentes, Lüpertz reprend des sujets classiques de l'histoire de l'art comme *Berger* (1986), *Ganymède* (1985), utilisant aussi des matériaux classiques : la terre chamottée et le bronze.

In 1948 Lüpertz's family left Bohemia to settle in Rhineland. He studied painting at the College of Applied Arts at Krefeld and also spent some time in a convent. Thus his first works bear the distant traces of mysticism in their large cruxifiction scenes. Lüpertz also worked in mines and later in the road construction industry whilst continuing his studies at the Düsseldorf Academy of Fine Arts.

In 1962 he produced his first 'dithyrambic' paintings in the ancient Greek sense of the word, a passionate choral hymn in honour of Dionysus. Right up until the end of the seventies, Lüpertz added this term 'dithyrambic' to all his titles. At this time he painted commonplace objects removed from their usual context, isolated forms suspended in the space of the canvas, and then moved on to deconstructions in such series as *The Trunks* (1966). Later he produced alignments of a single element consisting of several paintings which form a large frieze.

Siegfried Gohr explains Lüpertz's 'dithyramb' as a kind of provocation whereby the artists blows the whistle on the social problems engendered by a society in full economic expansion: "Markus Lüpertz throws light on what our period has hidden away in the depths of shadows that, however much we try to oppose them, they keep on gaining ground in our brave new modern world". In 1964 Lüpertz sets up the 'Grossgörchen 35' gallery along with a few friends where he exhibited his first works including the model-sculptures of 1966 which were destroyed at the end of the exhibition. Also in 1966, he published a manifesto: "The Dithyramb that I invented makes the charm of the twentieth century perceptible".

In 1970 Lüpertz was awarded the Villa Romana prize and spendt a year in Florence. It was then that the 'Deutchen Motive' began to appear in his work, as in *Helmets Sinking — Dithyramb*. The elements in his canvases became more numerous as in his triptych *Apocalypse — Dithyramb* (1973). Lüpertz achieved fame — or notoriety? — and the German art critic world was caught up in controversy when they taxed his paintings of objects accursed in postwar Germany as being fascist. As for Lüpertz, he considered his works to be open enough to be able to mean one thing and its opposite.

From 1974 onwards Lüpertz began to branch out into various activities: he lectured at Karlsruhe's National Academy of Fine Arts, published his first collection of poetry entitled *9 × 9*, and helped organize the first Berlin Biennale in 1977. With *Pferde-Bilder* (Horses-Paintings) and *Mann im Anzug* (Man in Suit) he started work on what he called his *Stil-Malerei* (Style paintings). By situating the abstract as the pivotal point of his artistic preoccupations, form became motif. Thus, in the early eighties, Lüpertz created his first sculptures — works greatly inspired by African art and painted in black, white, blue and red, yet created on a parallel to his 'African' paintings. Lüpertz says of them: "I am a painter and my sculptures are those of a painter... Coming to grips with bronze or clay is a means of beating back the limits of painting".

In 1982, he took part in Documenta VII in Kassel and designed the decor for Rainer Kunad's opera *Vincent*. Around the same time work on a series of paintings on the theme of *Alice in Wonderland* gave rise to the sculptures in painted bronze allied with the technique of the collage. In 1983, whilst lecturing at the Salzburg Summer Academy, he published *Poems 1961-1983*. In 1986 he was appointed lecturer at Düsseldorf's National Academy of Fine Arts.

In his recent sculptures Lüpertz reworks at once the themes and the techniques of art history in such works as *Shepherd* (1986) or *Ganymede* (1985) where he used clay and bronze.

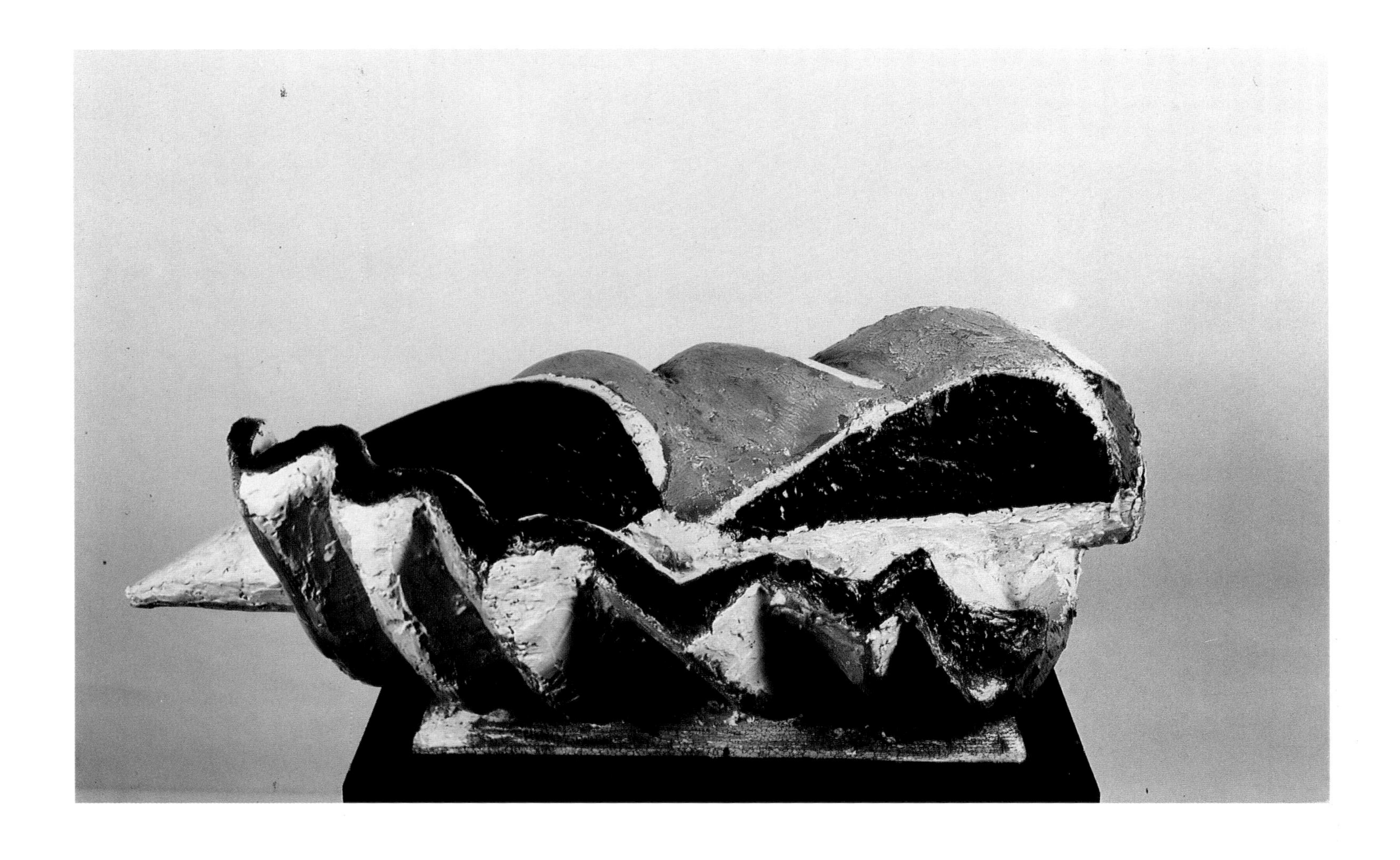

Markus LÜPERTZ

ALICE AU PAYS DES MERVEILLES. PARCE QUE C'EST UN HORRIBLE CHAT. 1981.
Bronze peint. 36 x 90 x 50.
ALICE IN WONDERLAND. BECAUSE HE'S A HORRIBLE CAT. Painted bronze.
Courtesy Galerie Lelong, Zurich.

ALICE AU PAYS DES MERVEILLES. CECI EUT BEAUCOUP D'EFFET SUR LA SOURIS. 1981. Bronze peint. 109 x 128 x 79.
ALICE IN WONDERLAND. THIS HAD A MIGHTY EFFECT ON THE MOUSE. Painted bronze.
Courtesy Galerie Lelong, Zurich.

Markus LÜPERTZ

ALICE AU PAYS DES MERVEILLES. IL Y AVAIT DE LA SOUPE A LA SIMILI-TORTUE. 1981. 36 x 90 x 50.
ALICE IN WONDERLAND. THERE WAS MOCK-TURTLE SOUP.
Courtesy Galerie Lelong, Zurich.

TITAN. 1985. Bronze peint. 253 x 59 x 196.
TITAN. Painted bronze.
Courtesy Galerie Lelong, Zurich.

BERGER. 1986. Bronze peint. 230 x 95 x 65.
SHEPHERD. Painted bronze.
Courtesy Galerie Michael Werner, Cologne.

SUZANNE. 1986. terre chamottée. 160 x 70 x 70.
SUZANNE. Clay.
Courtesy Galerie Lelong, Zurich.

Markus LÜPERTZ

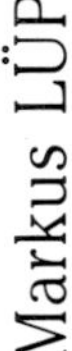

LA TÊTE DE MA MÈRE. 1987. Bronze. 97 x 73 x 40.
MY MOTHER'S HEAD. Bronze.
Courtesy Galerie Michael Werner, Cologne.

TÊTE DE CHÈVRE. 1987. Bronze peint. 63 x 80 x 24.
GOAT'S HEAD. Painted bronze.
Courtesy Galerie Michael Werner, Cologne.

Mario MERZ est né le 1er janvier 1925 à Milan. Il vit et travaille à Turin.

Très jeune, Mario Merz s'engage politiquement, partisan dans le groupe "Guistizia e Liberta" à Turin, il est arrêté par les fascistes en 1945. En prison, attiré par le visage d'un détenu, il en fait le portrait. ("Continuer le trait comme s'il était une espèce d'intestin"). Après sa libération, pendant deux ans, du matin au soir il dessine l'herbe. En 1952, il commence à peindre *Feuille, Arbre,* "je faisais une peinture forte et sobre. J'étais contre l'Informel". A propos de sa peinture, le critique Carlo Lonzi écrit en 1962, dans la préface du catalogue de la deuxième exposition de Merz : "Ses œuvres, de 1952 à ce jour, ont la même caractéristique : elles ne se rattachent à rien..."
A partir de 1964, Merz s'éloigne de la peinture dont il cherche à se libérer dans des œuvres qu'il appelle des "struttuaggentati", puis les "strutture attaversate dal neon", où une lampe de néon transperce un tableau, un imperméable, un parapluie... Le néon symbolise la source d'énergie qui traverse et transforme. "J'ai toujours compris la peinture comme forme d'une incertitude que l'homme traverse". Mario Merz participe aux premières expositions de l'Arte Povera. "L'Arte Povera a été pour moi, comme pour tous ceux qui l'ont fait, un stade, une étape nécessaire. On peut dire que l'Arte Povera avait choisi d'explorer une étrange région dans laquelle la peinture n'avait pas une place centrale".
C'est en cette fin des années 60, que Merz conçoit ses premiers igloos, formes surgies du besoin de supprimer l'angle droit et le plan, à la fois référence au dôme et à l'abri primitif, firgure architechtonique centrale, l'espace absolu en soi. *L'igloo de Giap* est l'un des premiers de la série : une armature métallique sur laquelle sont empilés des sacs plastiques remplis de terre et autour de l'igloo, écrite en spirale de néon, la phrase du général vietnamien Giap : "Se il nemico si concentra perde terreno, se si disperde perde forza". (Si l'ennemi se concentre, il perd du terrain, quand il se disperse, il perd de la force). Si cette sentence souligne l'implication politique de Merz, celui-ci néanmoins commente : "Pour Giap, ce n'est pas une solution politique, mais une espèce d'intuition boudhiste de la guerre et de la vie de guerre". Merz fait ainsi usage de citations, qu'il intègre dans ses œuvres : des lettres ou chiffres de néon bleu comme le principe de Fibonacci (mathématicien du XIIème siècle, qui inventa une suite dans laquelle chaque terme est égal à la somme des deux termes précédents : 1, 2, 3, 5, 8, 13, 21... suite mathématique fondée sur l'observation de la nature, et correspondant à l'idée de la spirale). "J'ai aimé mettre dans mon travail un petit système de logique mathématique (la suite de Fibonacci), car c'était un sentier que l'art contemporain avait encore laissé libre (...) Pour moi le travail précède l'art : avant de faire de l'art on doit avoir un sentier sur lequel marcher, un sentier inconnu."
Merz réalise bientôt des installations de plus en plus complexes, igloos, tables et signes avec des éléments empruntés au monde organique. Il confère aux matériaux quotidiens une dimension qu'il qualifie de préhistorique. Alors qu'en 1979, il effectue un retour au dessin et à la peinture dans des tableaux immenses de 10 m - 20 m de long, ayant pour sujet des animaux sauvages, et qui intègrent des objets dans la toile, il poursuit jusqu'à aujourd'hui son travail sur l'igloo, opposant l'opacité à la transparence, le contenant et le contenu. Mario Merz comme beaucoup d'artistes dont le travail se situe aux limites de la sculpture et de l'installation, invité dans de nombreuses expositions internationales "refait" ses œuvres, chaque fois. "C'est une invention, car même si je présente des œuvres anciennes c'est pour moi faire une invention". Son œuvre ainsi n'est jamais figée, reprise, recréée au cours des années.

As a young man Merz became in 1945 an active member of the political group "Guistizia e liberta" in Turin and was later arrested by the Fascists. Wilst in prison he was strangely drawn by the face of a fellow prisoner whose portrait he finally drew (referring to it as "continuing the line as if it were some kind of intestine"). For two years after his release he spent all day making paintings of grass. In 1952 he began work on Leaf and Tree. In Merz's own words, he was "producing strong, sober art", he was "against all informality". In 1962 the art critic Carlo Lonzi said of Merz's art in the introduction to the catalogue of the artist's second exhibition: "His works since 1952 to the present day have the same characteristic feature - they are linked to nothing...". From 1964 onwards Merz gradually moved away from painting and seeked to liberate himself in works he called "Strutture-aggentati", and later his "Strutture attaversate dal neon" in which a neon light pierces a painting or a raincoat or an umbrella. The neon light symbolizes a source of energy which pierces and transforms. In Merz's words: "I have always understood painting to be a form of uncertainty that man walks through". Merz took part in the first *Arte Povera* exhibitions of which he says that "it *(Arte Povera)* was for me, as for all those who took part in it, a kind of phase or essential step forward. It could be said that *Arte Povera* had chosen to explore a strange country in which painting did not take up the central position." During the same period, in other words towards the end of the sixties, Merz began to produce his first igloos - forms that arose from his need to tone down the right angle and the plane, at once refers to the dome and the primitive shelter, architechtonic central figure and absolute space in itself. Giap's igloo was one of the first in the series: it consisted of a metal shell onto which had been piled plastic bags filled with earth and around the igloo was written in neon lights, in Italian, a quotation of the Vietnamese general Giap: "Se il nemico si concentra perde terreno, se si disperde perde forza". (When the enemy cluster together they lose ground; when they disperse they lose force). Although this quotation underlines Merz's political involvement, it is nometheless commented upon by the artist: "As far as Giap is concerned, this is not a political solution but rather some kind of Buddhist intuition upon war and life during war-time". Thus Merz weaves various quotations into his works in the form of letters or figures in blue neon light in a way similar to that of the twelfth century mathematician Fibonacci, who invented a sequence in which each term was the sum total of the two previous terms, eg. 1,1,2,3,5,8,13,21 etc. This mathematical sequence is based on the observation of nature and corresponds to the idea of the spiral. Says Merz: "I was fond of including in my work a little system of mathematical logic (that of Fibonacci), for it was a path that contemporary art had still left untrodden. For me, work comes before art; before creating a work of art, the artist must have a path to tread on, a secret path". He soon began to produce increasingly complex installations - igloos, tables, signs and elements all borrowed from the organic world. He conferred upon everday material a dimension that he described as "prehistoric". 1979 saw Merz returning to drawing and painting in the form of vast canvases 10-20m hight, encrusted with various objects, in which he represented different wild animals. Today, Mario Merz is still working on the igloo, opposing opacity with transparency, container with content. Merz, like many artists whose work can be situated on the confines of sculpture and installation art, 'recreates' his works each time when invited to various international exhibitions: "This to me is invention, for even if I present past works, I consider it as making an invention". Thus his art is never rooted in permanence since it is constantly reworked and recreated over the years.

Mario MERZ

CELUI QUI EST EN PLOMB. 1985-86.
THE LEADEN ONE.
Courtesy C.A.P.C. Musée d'Art Contemporain de Bordeaux.

IL FIUME APPARE. 1986.
IL FIUME APPARE.
Courtesy C.A.P.C. Musée d'Art Contemporain de Bordeaux.

Mario MERZ

SANS TITRE. 1987.
UNTITLED. Installation Chapelle de la Salpêtrière, Paris.
Courtesy Galerie Liliane et Michel Durand-Dessert, Paris.

SANS TITRE. 1987.
UNTITLED. Installation Chapelle de la Salpêtrière, Paris.
Courtesy Galerie Liliane et Michel Durand-Dessert, Paris.

Mario MERZ

UNE OUVRÉE, UNE MESURE DE TERRE QUI DONNE UN PORTRAIT BIEN TERRESTRE. 1987. 950 × 750 × 300.
AN OPENING, A MEASURE OF EARTH FOR AN EARTHLY PORTRAIT.
Courtesy Galerie Sparta, Chagny.

SANS TITRE. 1987.
UNTITLED. Installation Chapelle de la Salpêtrière, Paris.
Courtesy Galerie Liliane et Michel Durand-Dessert, Paris.

Mario MERZ

SANS TITRE. 1987.
UNTITLED. Installation Chapelle de la Salpêtrière, Paris.
Courtesy Galerie Liliane et Michel Durand-Dessert, Paris.

TOURNONS NOUS EN ROND DANS LES MAISONS, OU LES MAISONS TOURNENT-ELLES AUTOUR DE NOUS ? 1977-87. Chapelle de la Salpêtrière, Paris.
DO WE TURN ROUND INSIDE HOUSES, OR IS IT HOUSES WHICH TURN AROUND US?
Courtesy Galerie Liliane et Michel Durand-Dessert, Paris.

Mimmo PALADINO est né à Paduli, près de Benevento, en 1948. Il vit et travaille à Milan et Benevento.

A seize ans, Mimmo Paladino visite la Biennale de Venise, il est très impressionné par le travail d'Oldenburg et de Dine, son projet artistique nait de cette rencontre. En 1970, il commence à dessiner, ses thèmes sont des figures de la mythologie en particulier Icare. Puis lors de sa première exposition personnelle à Brescia en 1976, Paladino présente *La condizione dell'esistenza intermedia,* travail composé de photographies jouant sur l'idée de ressemblance d'un référent figuratif.
L'année suivante, à Milan, il expose à la fois des pastels dans un lieu et dans un second lieu *Il giardino dei sentieri che si biforcano* (Le jardin des sentiers qui zigzaguent) une œuvre composée de 20 photographies noir et blanc et de 12 dessins en couleurs, puis il travaille une série exécutée à l'encre indienne et à la peinture à l'huile sur un support en verre, intitulée *Silenzioso.* C'est en 1978, en Allemagne, à Cologne que Paladino présente pour la première fois une œuvre en 3 dimensions, un objet en métal auprès d'une immense fresque en acrylique rouge et de petites huiles, qui annonce déjà certaines des œuvres des années 80. Paladino avec les artistes italiens, Cucchi, Chia, Clemente et De Maria, fait partie du mouvement inventé par Achille Bonito-Oliva : la Transavantgarde. Se situant comme alternative à l'avant garde, dans une démarche à la fois poétique et spectaculaire, ces artistes renoncent à une "recherche de la Vérité" dans l'art.
En 1980, à la suite de l'exposition des artistes italiens à la Biennale de Venise, le mouvement va s'internationaliser et se médiatiser et Paladino avec les artistes de la Transavantgarde, participe à de nombreuses expositions de groupe, à la Kunsthalle de Bâle en 1980, à Londres "The new spirit in painting" en 1981, "Avanguardia-Transavanguardia" à Rome en 1982.
Entre 1982 et 1985, Paladino fait plusieurs voyages au Brésil, où il est fasciné par les liens tissés entre l'animisme et le catholicisme, réflexion qui influence son travail de peintre. Mais déjà, depuis quelques années, Paladino n'est plus seulement un peintre, il est reconnu comme un sculpteur.
Ainsi il fait partie de la sélection des sculpteurs présentée à Bâle pour l'exposition "Skulptur im 20 Jahrhundert". A la Biennale de Venise en 1988, dans le pavillon italien, Paladino expose 65 pièces de forme géométrique en cuivre produisant une source lumineuse captée par des sculptures en bronze et dans le parc de la Biennale, il présente une œuvre de 1984 : *South,* un imposant portail en bronze.
Paladino dans ses toiles peintes comme dans son œuvre de sculpteur a un travail très traditionnel et à la fois des années 80. Reprise d'une iconographie classique, lien avec la culture chrétienne et latine, recherche esthétique et classique aussi dans les matériaux utilisés.
Tout le poids historique avec un vocabulaire essentiellement contemporain où le drame et l'humour peuvent cohabiter.

At the age of sixteen, Paladino visited the Venice Biennale. Highly impressed by the work of Oldenburg and De Dine, he set out on his own artistic path as a result of this twin encounter. In 1970 he began to draw, taking his themes from ancient mythology, in particular the myth of Icarus. Then for his first solo exhibition in Brescia in 1976, he presented *La Condizione dell'esistenza intermedia,* a work composed of photographs playing on the idea of resemblence with a figurative reference. The following year in Milan he exhibited simultaneously a series of pastels in one place and in another a work called *Il giardino dei sentieri che si biforcano* (The Garden of the Zigzagging Paths), composed of twenty black and white photographs and twelve colour drawings. Later he worked on series in indian ink and oil paint on a glass base entitled *Silenzioso.*
It was in 1978 in Cologne that Paladino presented for the first time a three-dimensional work — a metal object set beside a huge fresco in red acrylic paint with small oil paintings. The work in Cologne held the premises of some of the works he was to produce in the eighties.
Paladino, along with other Italian artists such as Cucchi, Chia, Clemente and De Maria, is part of a movement invented by Achille Bonito-Oliva called Trans-Avant-Garde. They situate themselves as an alternative to avant-garde in both their poetic and spectacular approach and have given up the "search for Truth" in art. In 1980, following an exhibition of the work of these Italian artists at the Venice Biennale, the movement became international and gained enormous publicity for itself, Paladino took part alongside the Trans-Avant-Garde artists in a number of their exhibitions including those of the Kunsthalle in Basel in 1980, the 'New Spirit in Painting' exhibition in London in 1981 and 'Avanguardia-Transavanguardia' in Rome in 1982.
Between 1982 and 1985, he made several trips to Brazil where he became fascinated with the links between animism and catholicism, a reflection which was to influence his work as a painter. Yet for some years he had not only been working with paint but was beginning to become recognized as a sculptor. Thus he was selected as one of the sculptors presented in the Skulptur im 20 Jahrhundert' in Basel. At the Venice Biennale of 1988, in a room adjoining the Italian pavillion, he exhibited 65 geometrical pieces in copper producing a source of light picked up by a series of bronze sculptures. In the park of the Biennale he presented a work of 1984, a formidable bronze gateway entitled *South.* Both in his canvases and his work as a sculptor, Paladino has an extremely personal approach and can be truly considered as a witness of his times. His art ranges from the reworking of classical iconography, the linking of Christian and Latin culture to an aesthetic and formal research, classical also in inspiration, into the material used. In his work we find the whole weight of history coupled with an essentially contemporary vocabulary where the tragic and the humorous can gracefully co-exist.

Mimmo PALADINO

SAUT DE GRENOUILLE. 1984. Bronze peint. 18 × 16 × 16.5.
HOP FROG. Painted bronze.
Courtesy Waddington Gallery London.

SUD. 1984. Bronze. 600 × 350 × 250.
SOUTH. Bronze.
Courtesy Galerie Bernd Klüser, Munich.

Mimmo PALADINO

O.T. 1985. Bronze. 27 × 28 × 30, bois : 200 × 120 × 6,5.
O.T. Bronze, wood.
Courtesy Galerie Bernd Klüser, Munich.

Mimmo PALADINO

SANS TITRE. 1986. 321,3 × 143,3 × 92,7.
UNTITLED.
Courtesy Waddington Gallery, London.

Mimmo PALADINO

SANS TITRE. 1988. Bronze. 706 × 122 × 33,5.
UNTITLED. Bronze.
Courtesy Galerie Daniel Templon, Paris.

SANS TITRE. 1988. Bronze. 250 × 100 × 100.
Bronze, UNTITLED.
Courtesy Galerie Daniel Templon, Paris.

Mimmo PALADINO

Mimmo PALADINO

SANS TITRE. 1989. Bronze. Φ110.
UNTITLED. Bronze
Courtesy Waddington Gallery, London.

Mimmo PALADINO

SANS TITRE. 1989. Bronze. 60 x 40 x 40.
Bronze. UNTITLED.
Courtesy Waddington Gallery, London.

Giulio PAOLINI est né à Gênes en 1940. Il vit et travaille à Turin.

En 1961, la première œuvre de Giulio Paolini, *Disegno geometrico,* est une toile de 40 x 60, sur laquelle sont tracées les lignes fondamentales. "Ma première œuvre c'était : "voilà mon œuvre !" Je suis autrefois parti de là et c'est là , aujourd'hui, que je reste encore. Je ne crois ni à un développement, ni à une évolution à l'intérieur d'un travail. Je crois à une disposition générale, qui ne change pas à travers des expériences successives, mais qui toujours revient comme si c'était la première fois."
Aussi par périodes, Paolini s'intéressera-t-il à des thèmes (parfois récurrents) qui donneront lieu à des moments, à des séries dans son travail. Ainsi avec *Plakat Carton,* Paolini tente de présenter la peinture comme "une image en soi". En 1964, il expose pour la première fois, à Rome. Son travail est alors une réflexion sur le plan, la perspective et la vision. A partir de 1965, le médium photographique apparait dans la réalité de son œuvre, ainsi dans *Diaframma,* l'artiste lui-même se représente tenant une toile. Vers la fin des années 60, Paolini introduit ses premières citations du passé, *Giovane che guarda Lorenzo Lotto* dans une photographie grandeur nature d'un portrait du XVIème siècle. Cette pratique des citations revenant désormais fréquemment. "Je n'utilise pas systématiquement l'iconographie du passé. Je me promène en toute liberté entre différentes techniques, différentes images qui ont leur histoire. En général, je me retrouve confronté à des images d'artistes qu'on a l'habitude d'appeler "classiques"". Autour de 1968, Paolini participe à quelques expositions de l'Arte Povera, bien que sa démarche et surtout le choix des matériaux utilisés dans ses œuvres, restent assez éloignés de celle des artistes de ce mouvement. Paolini se situe lui-même : "Je travaillais déjà avant que ce mouvement ne soit défini comme tel et j'étais déjà à cette époque plus conceptuel que les artistes de l' "Arte Povera[1]".
Au début des années 70, Giulio Paolini aborde maintenant la problématique de la représentation dans des œuvres comme *Apoteosi di Omero*. "Ce qui est important, réside moins dans le résultat de l'œuvre aboutie que dans l'intention qui a présidé à sa conception. (...).. l'image ne porte pas intégralement le sens de ce qu'elle représente". Cette réflexion sur la représentation amène alors Paolini à participer à des expériences théatrales, notamment auprès de Carlo Quarducci et de Renzo Giovanpietro. En 1972, Paolini est présent à la Documenta de Kassel. En 1974, il expose au Museum of Modern Art à New York. L'année suivante, en créant *Mimesis,* une œuvre comprenant plusieurs versions sur le thème des regards qui se croisent, Paolini s'intéresse alors aux relations entre l'idée, l'original, la copie, la répétition et le double. En 1978, son travail est présenté au Musée Pignatelli-Cortes à Naples, en 1979, au Studio Marconi à Milan.
Paolini à propos des expositions de son travail est amené à dire : "... s'il est vrai que je ne travaille pas dans la perspective d'une exposition précise, il est également vrai que je ne conçois pas celle-ci comme une sélection arbitraire, mais aussi comme une sorte de mise en scène de mon travail". En 1981, les œuvres *Sguardo della Medusa, Hortus Clausus,* dans des scènes simulées, se situent hors du plan, entre le dessin et la tri-dimensionnalité, Paolini investissant désormais l'espace, l'occupant dans toute sa dimension. De façon de nouveau récurrente, *Le Triomphe de la représentation* (1983), reprend les neuf points de la première œuvre, sous la forme de neuf lieux occupés par des personnages.
Paolini est présent dans de nombreuses expositions durant les années 80, il expose au Nouveau Musée de Villeurbanne en 1984, en 1986, à la Biennale de Venise. La même année, une grande rétrospective lui est consacrée à la Staatsgalerie à Stuttgart, reproduisant la trace topographique de l'œuvre, *Lo Studio, Il Museo, Il Luogo, la Visione.* En 1988, alors qu'il présente au Kunstverein de Cologne, *Il Cielo,* Giulio Paolini ne craint pas d'affirmer situant son travail : "Au fond, je crois que l'artiste est quelqu'un qui s'exprime beaucoup moins que les autres. Le destin de l'artiste suppose, au contraire de ce que l'on peut penser, une absence de la scène."

In 1961 Paolini produced his first work, *Disegno geometrico,* a canvas 40 × 60 cm on which he had traced the basic lines: "My first work was: here is my work! I once set off from there and it is there that I still find myself today, I do not believe in either a development or an evolution within a work. I belive in a general lay-out that does not change through successive experiences but always comes back as if for the first time". Thus Paolini periodically shows an interest in certain themes — sometimes recurring — that will give rise to moments or series in his work. With *Plakat Carton,* he tried to present painting as "an image in itself".
In 1964 he exhibited in Rome for the first time. His work at the time was a reflection on the plane, the perspective and vision. From 1965 onwards the photographic medium appeared in the reality of his work, as in *Diaframma,* where the artist represented himself holding a canvas. Towards the end of the sixties Paolini began to introduce the first quotations from the past into his work, as in *Giovane che guarda Lorenzo Lotto,* a life-size photograph of a 16th century portait.
This technique of quoting from the past was from then on to occur frequently in his work: "I do not use the iconography of the past in a systematic fashion. I amble freely in and out of different techniques and different images which have their own history, In general I tend to find myself face to face with artists that are usually called classical". Around 1968 he took part in a few *Arte Povera* exhibitions, although his approach — and more especially the choice of material he uses in his works — bears no real resemblence to that of the artists of this movement. Paolini took it upon him to situate himself: "I was working long before this movement was defined as such and I was already at that time more conceptual than the artists of the *Arte Povera* movement". At the beginning of the seventies Paolini tock on the thorny problem of representation in such works as *Apoteosi di Omero:* "What matters is not what resides in the result of the finished work but, rather the intention that was present at its conception (...) the image does not fully bear the meaning of what it represents". This reflection on representation led him to take part in theatrical experiments, notably those of Carlo Quarducci and Renzo Giovanpietro.
In 1972 he took part in the Documenta in Kassel and two years later he exhibited at the Museum of Modern Art in New York.
In 1975, with the creation of *Mimesis,* a work comprising several versions on the theme of eyes meeting, Paolini turned his attention to the relations between the idea, the original, the copy, repetition and the double.
In 1978 his work was presented at the Pignatelli-Cortes Museum in Naples and the following year in the Studio Marconi in Milan. Paolini said of these exhibitions: "... although it is true that I do not work with one particular exhibition in mind, it is also true to say that I do not consider an exhibition as an arbitrary selection but also as a kind of staging of my work".
In 1981 his works entitled *Squardo della Medusa* and *Hortus Clausus,* set on simulated stages, are situated outside the planes of drawing and three-dimensionality since Paolini now occupies space in its entirety. In a recurring manner: *The Triumph of Representation* (1983) reworks the nine subjects of the former work in the form on nine places occupied by various characters.
Paolini remained present in a number of exhibitions throughout the eighties, at the New Museum of Villeurbanne (France) in 1984 and at the Venice Biennale in 1986. The same year the Staatsgalerie in Stuttgart organized a large retrospective, reproducing the topographical line of his work — *Lo Studio, Il Museo, Il Luogo, La Visione.*
In 1988, with the presentation of his *Il Cielo* at the Kunstverein in Cologne, Paolini launched into a forthright declaration to situate his art: "At heart, I believe the artist is someone who expresses himself much less than others. Contrary to popular belief, the fate of the artist pre-supposes the absence of a stage".

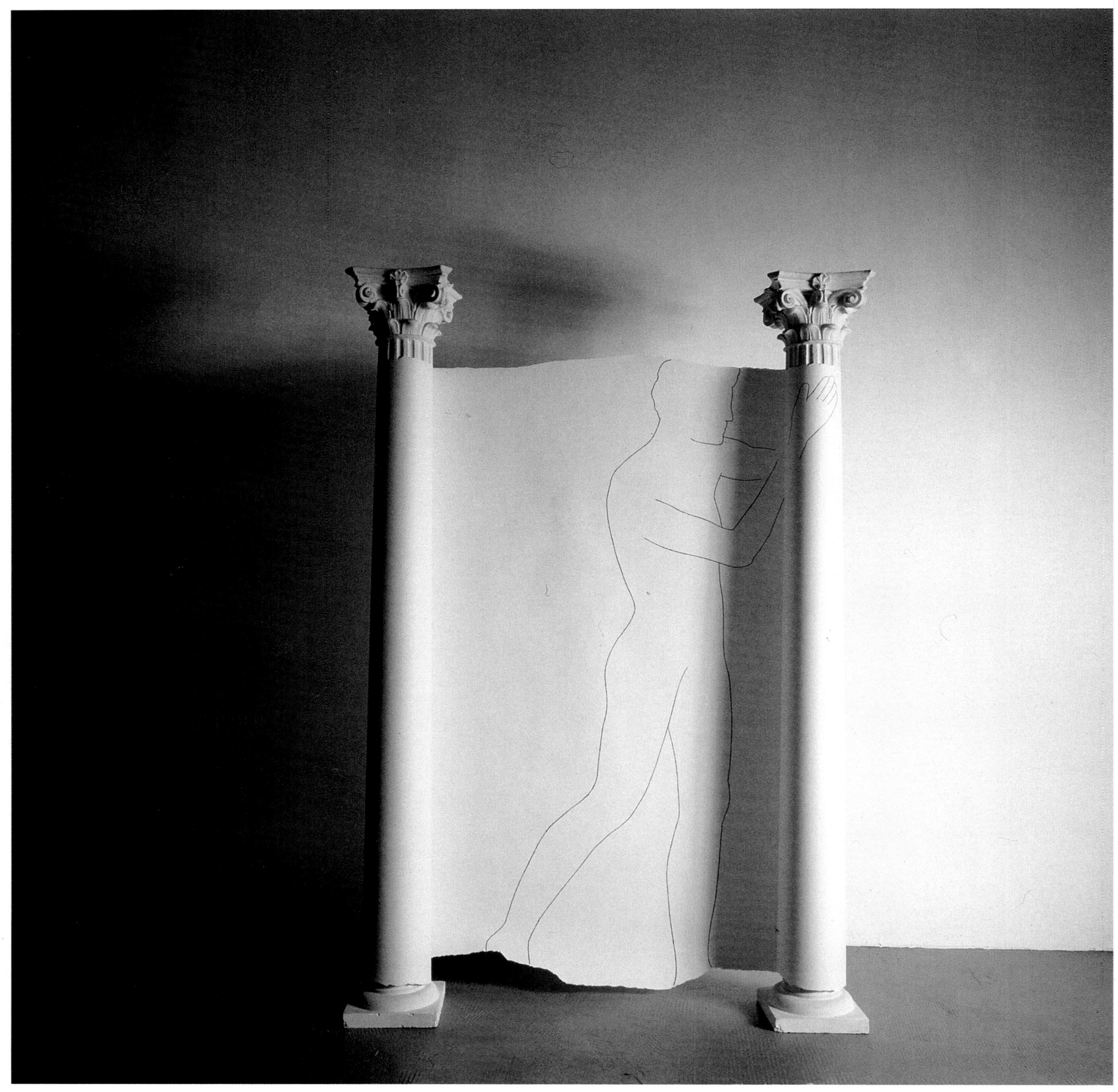

Giulio PAOLINI

CARYATIDE. 1979. 180 × 120.
CARYATID.
Courtesy Christian Stein Gallery, Milan, Italy.

Giulio PAOLINI

LA MAISON DE LUCREZIO. 1982. 170 × 225 × 200 × 225 × 200.
THE HOUSE OF LUCREZIO.
Courtesy Christian Stein Gallery, Milan, Italy.

Giulio PAOLINI

SCÈNE DE CONVERSATION. 1984.
CONVERSATION SCENE.
Courtesy Galerie Yvon Lambert, Paris.

Giulio PAOLINI

L'AUTRE FIGURE, 1986.
THE OTHER FIGURE.
Courtesy Amelio Lucio Gallery, Naples, Italy.

Giulio PAOLINI

SANS TITRE. 1987.
UNTITLED.
Courtesy Christian Stein Gallery, Milan, Italy.

Giulio PAOLINI

JE VOIS. 1987. 10 × 400.
I SEE.
Courtesy Galerie Yvon Lambert, Paris.

Giulio PAOLINI

RIEN N'A ÉTÉ DIT. 1988-89. 155 × 40 × 40.
NOTHING WAS SAID.
Courtesy Galerie Yvon Lambert, Paris.

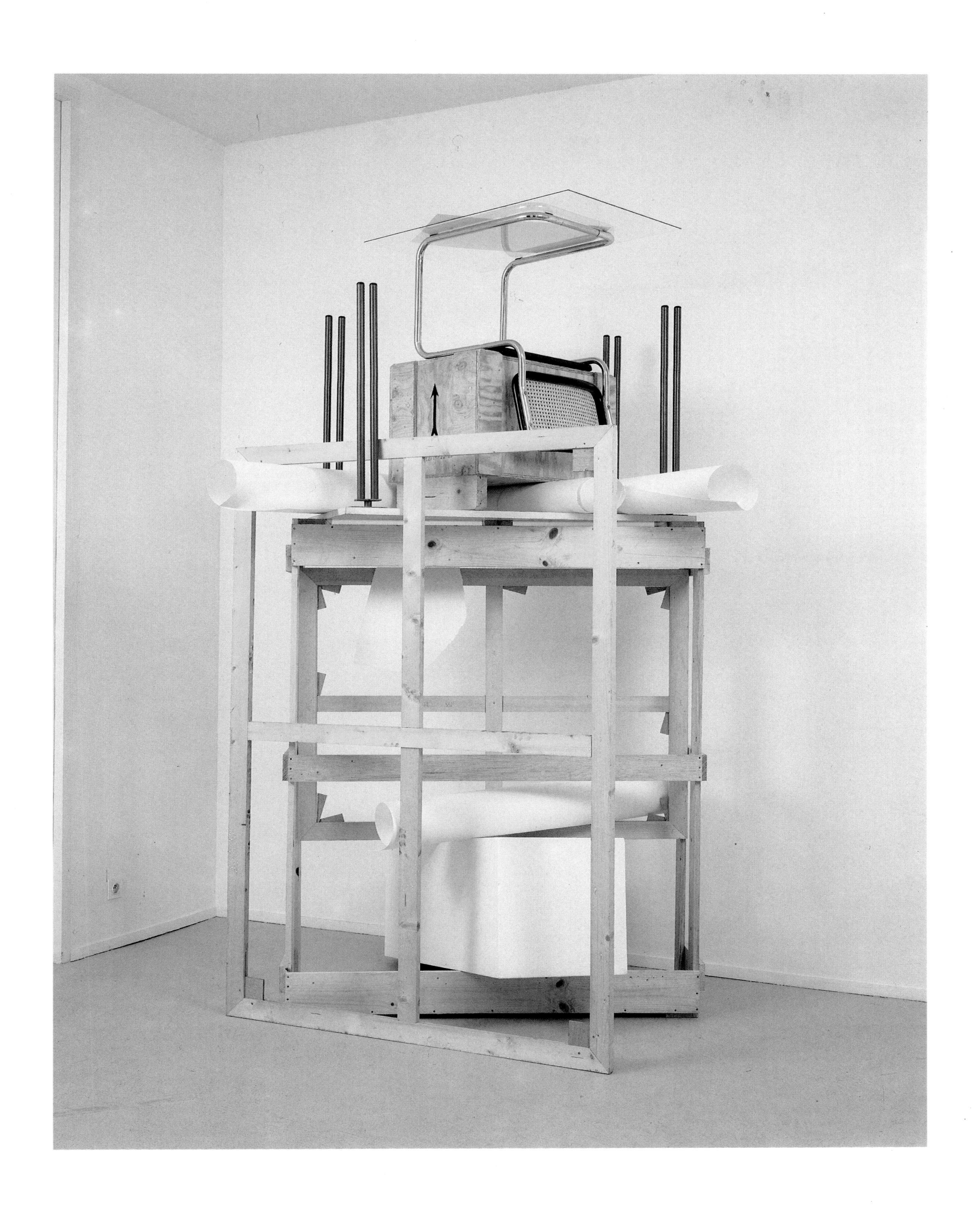

Giulio PAOLINI

NON PLUS ULTRA. 1989. 271 × 150 × 150.
NON PLUS ULTRA.
Courtesy Galerie Yvon Lambert, Paris.

A.R. PENCK est né à Dresde en 1939. Il vit et travaille à Düsseldorf et en Irlande.

A.R. Penck pseudonyme le plus connu de Ralf Winckler est né en 1939 à Dresde. Il reste marqué par l'incendie de la ville et ses souvenirs d'enfant dans la cité en ruines. A 10 ans, il commence à peindre et parle déjà de devenir sculpteur. En 1956, il expose pour la première fois à Dresde et à Berlin-est, mais sa candidature à la Kunstakademie est refusée, Winckler suit alors des cours de dessin publicitaire et en autodidacte pratique la peinture, la sculpture et la musique. Jusqu'en 1961, il peint d'après «l'art ancien», se confrontant en particulier à l'œuvre de Rembrandt avec les "Rembrandt-Rekonstruktionnen". C'est en 1961 qu'il élabore le thème des *Weltbilder,* des toiles où des personnages filiformes brandissant des armes s'affrontent entourés de tableaux et de formules mathématiques.
Vers le milieu des années 60, R. Winckler s'initie aux mathématiques, à l'architecture, à la cybernétique. Et c'est influencé par l'ouvrage du théoricien anglais Ashby qu'il débute sa série des *Systembilder.* "Ashby m'a appris qu'il existe dans la conscience une cohérence clairement logique". Winckler invente le concept de *Standart.* "Le Standart est une forme d'art conceptuel. A l'époque je n'en savais rien. Le Standart est un concept, un plan, une stratégie" dira-t-il en 1975.
En 1966, Ralf Winckler est reconnu par les autorités de son pays, et nommé à l'Union des Artistes Plasticiens (VBK), dont il sera exclu 3 ans plus tard, contraint alors de rentrer dans l' "Untergrund". C'est en 1967, qu'il prend le pseudonyme de A.R. Penck, nom du géologue Albrecht Penck et l'année suivante, expose pour la première fois à l'Ouest, à Cologne. En 1970, il publie *Standart making.*
Au cours de la première partie des années 70, Penck réalise des maquettes *Standart* à l'aide de matériaux "pauvres" : carton, papier d'aluminium, sparadrap, et, en 1977 il aborde la sculpture sur bois. "1977 a été pour moi une année de crise (...) Je suis tombé malade, je n'avais plus de coeur à rien. Un peu plus tard un ami m'a offert une pièce de bois qui sentait fort la résine"... Il se met à tailler le billot de bois... "Et du coup je me suis rendu à une expérience élémentaire. Avant de faire cette expérience, j'avais surtout subi dans la vie l'influence des choses théoriques, et l'acte de casser ce bois a été comme une libération symbolique de la théorie."
En 1980, Penck demande son expatriation. "On ne peut pas parler exactement de contrainte. Il est conforme à la logique du système que l'on finisse par faire une demande (d'expatriation)." Ce passage à l'Ouest, marque un changement important dans son œuvre, *Août 80* est un nouveau commencement.
A.R. Penck débute un travail avec le fer et le bronze, et la sculpture occupe dès lors une place essentielle dans son œuvre. En 1984, avec Lothar Baumgarten il représente l'Allemagne de l'ouest à la Biennale de Venise avec une œuvre de bronze et de bois mêlés, intitulée *Memorial to an unknown East German soldier.*
Penck travaille également le marbre à Carrare, où il passe l'été 86. En 1987, il est nommé professeur à l'Académie des Beaux-Arts de Düsseldorf. En 1988, il reprend l'idée de ses maquettes Standart, dans un groupe de sculptures en feutre, aux couleurs vives. "Chacune de ces maquettes a au moins une, sinon plusieurs fonctions dans mon idée.(...) Ce petit parc de machines correspond à un coup de main de plus dans le champ du possible. L'avenir est contenu dans le présent."
A.R. Penck en 89 peut encore reprendre le travail du bois ou du bronze étendant à la fois ses connaissances et sa pratique dans tous les champs du possible.

A.R. Penck, the most well-known of the pseudonyms used by Ralph Winckler, was born in Dresden in 1939. His childhood memories were marked by the great fire that razed the city to the ground, the backdrop to Winckler's childhood. He began to paint at the age of ten and already spoke of becoming a sculptor. In 1956 he exhibited for the first time in Dresden and East Berlin, yet his application for the Kunstakademie was turned down. Winckler then decided to take a course in advertising design whilst continuing to paint, sculpt and play music in his spare time. Right up until 1961 he painted in the mode of "old world" art, facing up especially to the challenge of the work of Rembrandt in his *Rembrandt-Rekonstruktionen.* It is in 1961 that he formulated the theory of the *Weltbilder* - pictures consisting of primitive scenes in which spindly characters brandishing their weapons confront each other surrounded by paintings and mathematical formula.
Towards the mid-sixties Winckler took an interest in mathematics, architecture and cybernetics and, greatly influenced by the work of the English theoretician Ashby, he began work on the *Systembilder* series. "Ashby taught me that there is a clearly logical coherence in our conscience". Winckler invented the concept of *Standart.* As he declared in 1975: "*Standart* is a form of conceptual art. At the time, I knew nothing about it. In fact, *Standart* is a concept, a plan, a strategy". In 1966 Winckler was recognized by the East German authorities and made a member of the Artists Union (VBK), only to be excluded from it three years later when he was forced to go underground. It was in 1967 that he adopted the pseudonym A.R. Penck after a geologist of the name of Albrecht Penck. The following year he exhibited for the first time in the West (Cologne) and in 1970 published *Standart Making.*
At the beginning of the seventies, Penck produced *Standart* models from so-called "humble" materials such as cardboard, aluminium foil and sticky tape, then in 1977 he took up wood sculpture. In Penck's own words: "1977 was a crisis year for me. I became ill and felt thoroughly despondent about everything. Some time afterwards, a friend of mine gave me a piece of wood exuding a pungent smell of resin". Penck sat down to carve the block of wood and "suddenly I felt myself being transported back to a most elementary experience. Before this I had above all been submitted to the influence of things theoretical, but the very act of smashing this piece of wood came as a symbolic release from theory".
In 1980 Penck put in an official request to leave for the West: "I cannot exactly speak of it in terms of being forced to leave. The very logic of the system inevitably leads you to file for a request to leave (the country)". Penck's defection underpins an important change in his work: "August 1980 was a new starting point for me". He began work on iron and bronze, for sculpture took up from now on a major part in his work.
In 1984 he represented West Germany, along with Lothar Baumgarten, at the Venice Biennale, with a work in bronze and various types of wood entitled *Memorial to an unknown East German soldier.*
Penck also began to work with marble and spent the summer of 1986 in Carrare.
In 1987 he was appointed lecturer at the Düsseldorf Academy of Fine Arts. In 1988 he went back to his idea of *Standart* models with a group of brightly-coloured sculptures in felt. He says of them: "Each one of these models has at least one if not several functions in my original idea... This small fleet of machines corresponds to a further helping hand in the range of possibilities. The future is contained in the present". Thus in 1989 A.R. Penck could once again take up work on wood or bronze extending both his knowledge and experience to all possible domains.

A.R. PENCK

THÉORIE A HAMBOURG. 1985. Bronze. 46,5 × 16,5 × 10.
THEORY IN HAMBURG. Bronze.
Courtesy Waddington Gallery, London.

A.R. PENCK

MÉMORIAL POUR TEL AVIV. 1985. Bronze patiné. 53,5 × 45 × 37.
***MEMORIAL FOR TEL AVIV.** Patinated bronze.*
Courtesy Waddington Gallery, London.

A.R. PENCK

CÔTE WEST. 1985. Bronze. 29 × 73,5 × 29,5.
WEST COAST.Bronze.
Courtesy Waddington Gallery, London.

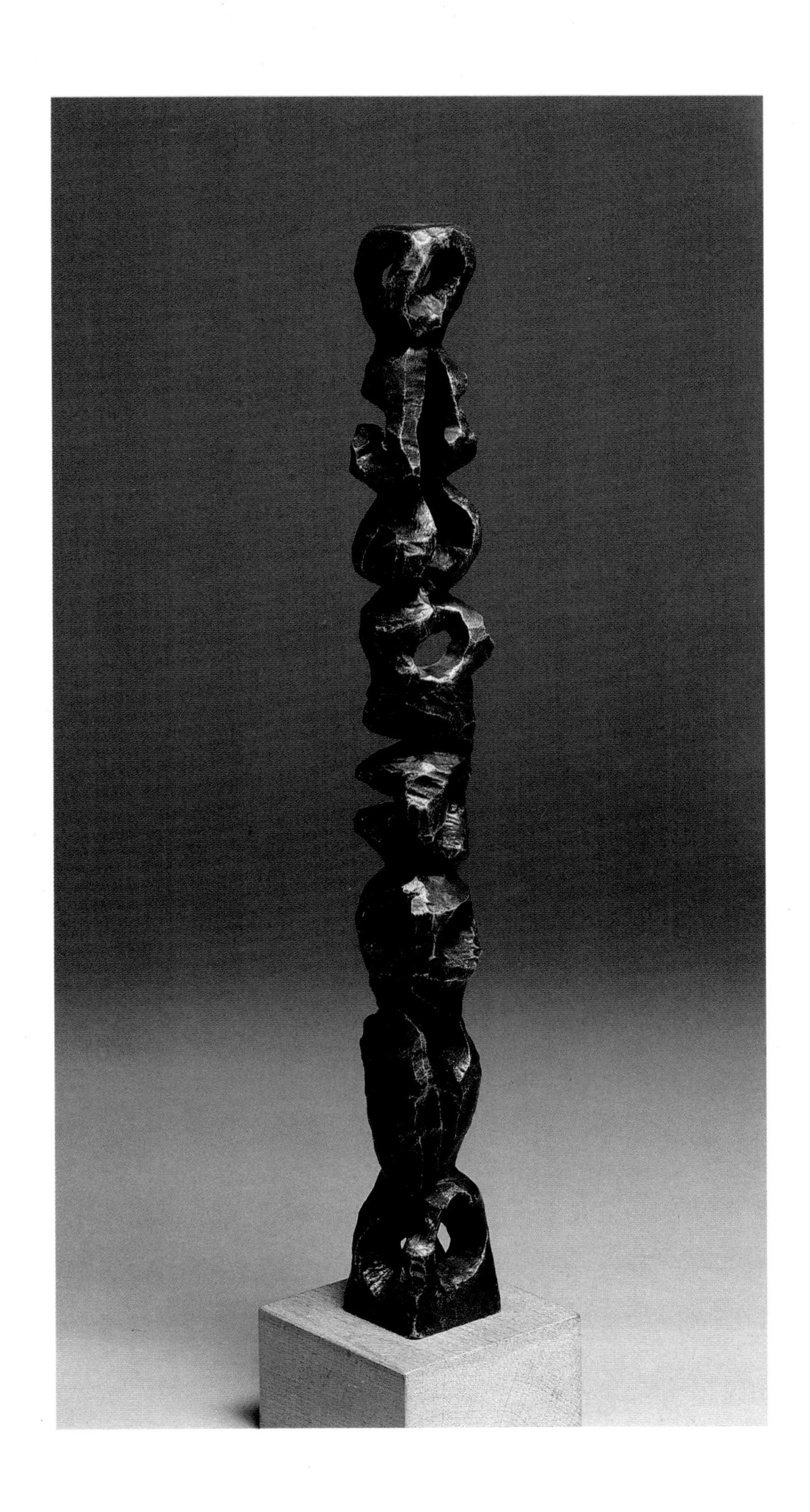

CONVERSATION D'EMMIGRANTS. 1985. Bronze patiné. 48,5 × 5 × 5.
EMIGRANT CONVERSATIONS. Patinated bronze.
Courtesy Waddington Gallery, London.

A.R. PENCK

L'AVENIR DES SOLDATS. 1984-88. 435 × 160 × 120.
FUTURE OF THE SOLDIERS.
Courtesy Galerie Michael Werner, Zurich.

A.R. PENCK

MODÈLE STANDARD ANTINUCLÉAIRE. VERT. VERT. VERT. 1987. Bronze. 87×61×33.
ANTINUCLEAR STANDART MODEL. GREEN. GREEN. GREEN. Bronze.
Courtesy Galerie Michael Werner, Zurich.

A.R. PENCK

TRANSFORMATEUR. 1987. Feutre. 105 × 110 × 120.
TRANSFORMER. Felt.
Courtesy Galerie Michael Werner, Cologne.

AUTOPORTRAIT. 1989. Bois. 102 × 76 × 42.
SELF PORTRAIT. Wood.
Courtesy Michael Werner Gallery, Cologne.

Jean-Pierre RAYNAUD est né à Courbevoie en 1939. Il vit et travaille dans la région parisienne.

Jean-Pierre Raynaud a le projet d'être jardinier, il étudie et obtient le diplôme de l'Ecole d'Horticulture en 1958. A cette époque, il réalise déjà quelques peintures, mais ses premières œuvres proches de son travail à venir datent de 1962, des assemblages de panneaux de signalisation routière et les premiers pots de fleurs remplis de ciment dont Raynaud dit : "Dans mon travail d'artiste, les pots de fleurs représentent quelque chose de très spécifique... Quand j'ai abandonné l'horticulture, j'ai expliqué (...) à l'aide de la psychanalyse pourquoi j'ai mis du ciment dans les pots".
Commence alors la série des *Psycho-objets,* période particulière dans la vie et dans l'œuvre de Raynaud. "Les Psycho-objets ont été vécus comme un voyage à travers l'enfer. Quand la fièvre est retombée, j'ai été vers quelque chose de plus calme, mais, déjà, l'esthétique avait sa place".
En 1965, il expose pour la première fois à Paris et trois ans plus tard dans trois musées, à Amsterdam, à Stockholm et à Stuttgart. Le travail de Raynaud au début des années 70, se partage entre son œuvre majeure, la construction de sa maison de la Celle-Saint-Cloud (qu'il ne cessera de transformer voire de détruire pour la reconstruire et ce jusqu'en 1989) et d'autre part son œuvre privilégiant le motif du pot.
Jean-Pierre Raynaud crée des séries de pots telles que celle de 4000 exemplaires présentée à Londres et à Jérusalem, ou encore la série des *Rouge, Vert, Jaune, Bleu* dans laquelle des objets industriels ordinaires de notre civilisation sont répétés en quatre couleurs, les couleurs étant des éléments nouveaux. Jusqu'ici les seules couleurs présentes dans l'œuvre de Jean-Pierre Raynaud étaient le rouge et le blanc. "J'ai éprouvé le désir de faire un feu d'artifice, de m'offrir la couleur, le rouge n'étant même pas employé comme un rouge mais comme le sang".
En 1974, Jean-Pierre Raynaud avec la réalisation du premier *Espace Zéro* pour le Musée de Saint-Etienne, espace entièrement recouvert de banals carreaux de céramique blanche de 12 × 12 cm, joints noirs, entame la série de ses agencements en carrelage blanc, dans lesquels il évacue de son travail toute tension dramatique. *Espace Zéro* (1984) créé au Grand-Palais pour l'exposition *La Rime et la Raison, Container Zéro* (1988) au Musée National d'Art Moderne et le plus récent créé en 89 à Paris à la FIAC.
Raynaud réalise également des œuvres dans des appartements privés : un mur chez Philippe et Denyse Durand-Ruel (1970), une entrée pour Didier et Martine Guichard (1974), confirmant dans son travail de l'espace une démarche proche de l'architecture, mais différant cependant par son jeu entre l'art et le réel. En 1976, il conçoit les vitraux d'une abbaye cistercienne, l'abbaye de Noirlac. La même année, il représente la France à la Biennale de Venise.
Le travail des années 80 provient de nombreuses commandes publiques. "Personnellement, je ne suis pas un spécialiste de la commande publique. Cependant certaines commandes monumentales, ou ayant trait au monde urbain, font partie d'une recherche inhérente à mon travail : je n'ai, en effet, jamais fait un travail d'atelier". Raynaud réalise ainsi un *Jardin d'Eau* pour la Principauté de Monaco en 1981, un vitrail aveugle (1984) dans l'église romane de Charenton sur Cher, un autoportrait monumental pour la ville de Québec (1987). En 1985, Raynaud installe dans le parc de la Fondation Cartier un gigantesque pot d'or, *Pot or monumental.*
A la suite d'un voyage en Italie sur les sites Etrusques, Raynaud crée à son retour des stèles destinées à supporter des objets antiques, *Stèle + Crâne néolithique* (1985), *Stèle + Amphore Etrusque* (1986). En 1986, au Colloque sur l'Art et la Ville, il présente son projet de la *Tour des Minguettes à* Vénissieux.
L'artiste propose de recouvrir de céramique blanche une tour immeuble HLM voué à la démolition, portes et fenêtres comprises, intervention symbolique, création de la "première sculpture à avoir été habitée".
Origine de vives controverses, "le projet des Minguettes dure, lui, depuis sept ou huit ans et pour des raisons extérieures à l'art, ne peut pas aller plus vite... Chaque projet a un temps, son temps".
En 1989, Raynaud crée dans la ville des projets à échelle architecturale : une réalisation monumentale en marbre blanc et granit noir au sol du dernier étage de l'Arche de la Défense, une pièce pour le cinquantième anniversaire du C.N.R.S. et une fontaine de 900 m² Place de la Bastille à Paris. La grande rétrospective qui voyage actuellement aux Etats-Unis, témoigne de la double appartenance de Jean-Pierre Raynaud. Son travail unique s'accorde avec l'espace du musée et aussi depuis l'aménagement de sa propre Villa (visitée pour la dernière fois par le public en 1989) investit la ville et son architecture.

Jean-Pierre Raynaud originally wanted to be a gardener. As a result he trained and graduated at horticultural college in 1958. By then he had already produced a few paintings, but the first pieces bearing a resemblance to his future work appeared in 1962; assemblages of road signs and flower pots filled with cement. Of these he says: "In my work as an artist, flower pots have a very special meaning... When I gave up gardening, psychoanalysis helped me explain (...) why I put cement in the pots".
A new series, equally representative of Raynaud's life and work, was soon to follow, that of the psycho-objects : "I experienced the psycho-objects as a journey through hell. When the fever died down, I moved to something less strained but my aesthetic choices were already made". In 1965 he exhibited for the first time in Paris and three years later in three different museums : Amsterdam, Stuttgart and Stockholm. His work in the early seventies evolved around two pre-occupations : first and foremost, building his house at la Celle Saint-Cloud near Paris - a long process of construction/destruction/reconstruction that was not to end until 1989 - and, on the other hand, the study of the pot motif.
He produced series such as the 4,000 pots exhibited in London and Jerusalem or the Red, Green, Yellow, Blue series in which the most common artfacts of our industrial civilization were repeated in four colours. This lavish use of colour was a novelty in his work since until then he had confined himself to red and white : "I felt like treating myself to a fireworks display, having a go at colour, red being used not as a colour but as blood". In 1974, however, with his first *Espace Zéro* (Zero Space) for the Museum of Saint-Etienne, France,a space entirely occupied by matter-of-fact 12 cm × 12 cm white ceramic tiles with black grouting, he began a series of white tile arrangements from which all dramatic tension had been evacuated and which was to include *Espace Zéro* (1984) for the exhibition "La Rime et la Raison" at the Grand Palais in Paris, Container Zéro (1988) at the Museum of Modern Art, the latest being his contribution to FIAC 89 in Paris. Simultaneously, he executed a number of works in private apartments - a wall for Philippe and Denise Durand- Ruel (1970), a hall for Didier and Martine Guichard (1974) - thus reasserting his reflection on space akin to architecture although differing from it through the interplay of art and the real. In 1976 he also executed stained glass windows for the Cistercian abbey of Noirlac, while representing France at the Venice Biennale.
His work in the eighties stemmed mainly from public commissions. "Personally, says Raynaud, I am no specialist in public commissions. However, monumental commissions or others related to the urban world tie in with my research as an artist who, as a matter of fact, has never done any studio work". He thus produced a water garden for the Principality of Monaco (1981), a blind stained glass window in the Romanesque church of Charenton sur Cher (1987). Also worthy of mention is *Pot or Monument (Gold Pot Monument),* a gigantic golden pot which he erected in the park of the Cartier Foundation in 1985.
Then, after his return from his visit of Etruscan sites in Italy, he created stele on which he rested ancient objects: *Stèle & crâne néolithique* (1985), *Stèle & Amphore Etrusque* (1986). At the symposium on Art and the City in 1986, he disclosed his project for the Tower of Les Minguettes in Venissieux in which he proposed to cover a town council-owned tower block in white ceramic, doors and windows included, as a means for the artist to intervene symbolically on the "first lived-in sculpture ever".
A subject of deep controversy, the project, in the words of the artist, "has lived on for seven or eight years now and has been going ever so slowly for reasons hardly connected to art... Each project has a tempo, its own tempo", Meanwhile, in 1989 he produced a number of works with a true architectural dimension to them: a monumental work in white marble and black granite on the floor of the last storey of the Arch of La Défense (Paris), a piece for the 50th anniversary of the CNRS (National Centre for Scientific Research) and a 900 square meter fountain for the Place de la Bastille.
The major retrospective of his works now touring the US is unique evidence of his twofold concern as an artist with, on the one hand, the space of the museum and, on the other hand, the space which he has unflaggingly explored since the building of his own villa (last opened to the public in 1989): that of the city and its architecture.

LA TOUR BLANCHE. 1984-90. Projet pour Venissieux. Les Minguettes.
THE WHITE TOWER. Project for Venissieux. Les Minguettes.
Courtesy Denyse Durand-Ruel, Paris.

SANS TITRE. 1986. Container, céramique.
UNTITLED. Container, ceramics.
Courtesy Denyse Durand-Ruel, Paris.

Jean-Pierre RAYNAUD

Jean-Pierre RAYNAUD

DIALOGUE AVEC L'HISTOIRE. Place de Paris, Quebec, Canada. 1987.
DIALOGUE WITH HISTORY.
Courtesy Denyse Durand-Ruel, Paris.

SANS TITRE. 1988. Stèle, boîte chromée.
UNTITLED. Stela, chrome box.
Courtesy Denyse Durand-Ruel, Paris.

Jean-Pierre RAYNAUD

SANS TITRE. 1989. Dépoli.
UNTITLED. Frosted.
Courtesy Denyse Durand-Ruel, Paris.

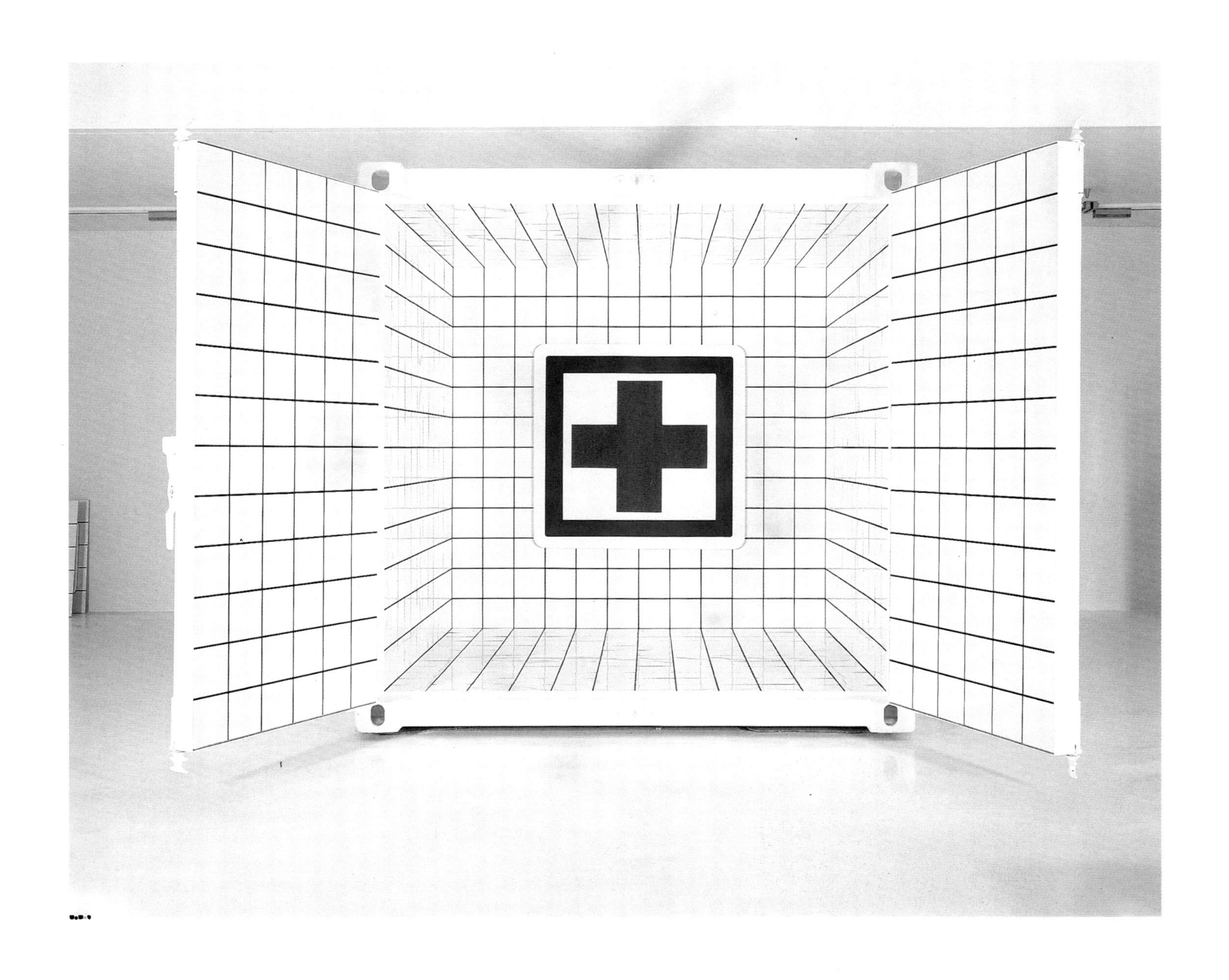

SANS TITRE. 1989. Container.
UNTITLED. Container.
Courtesy Denyse Durand-Ruel, Paris.

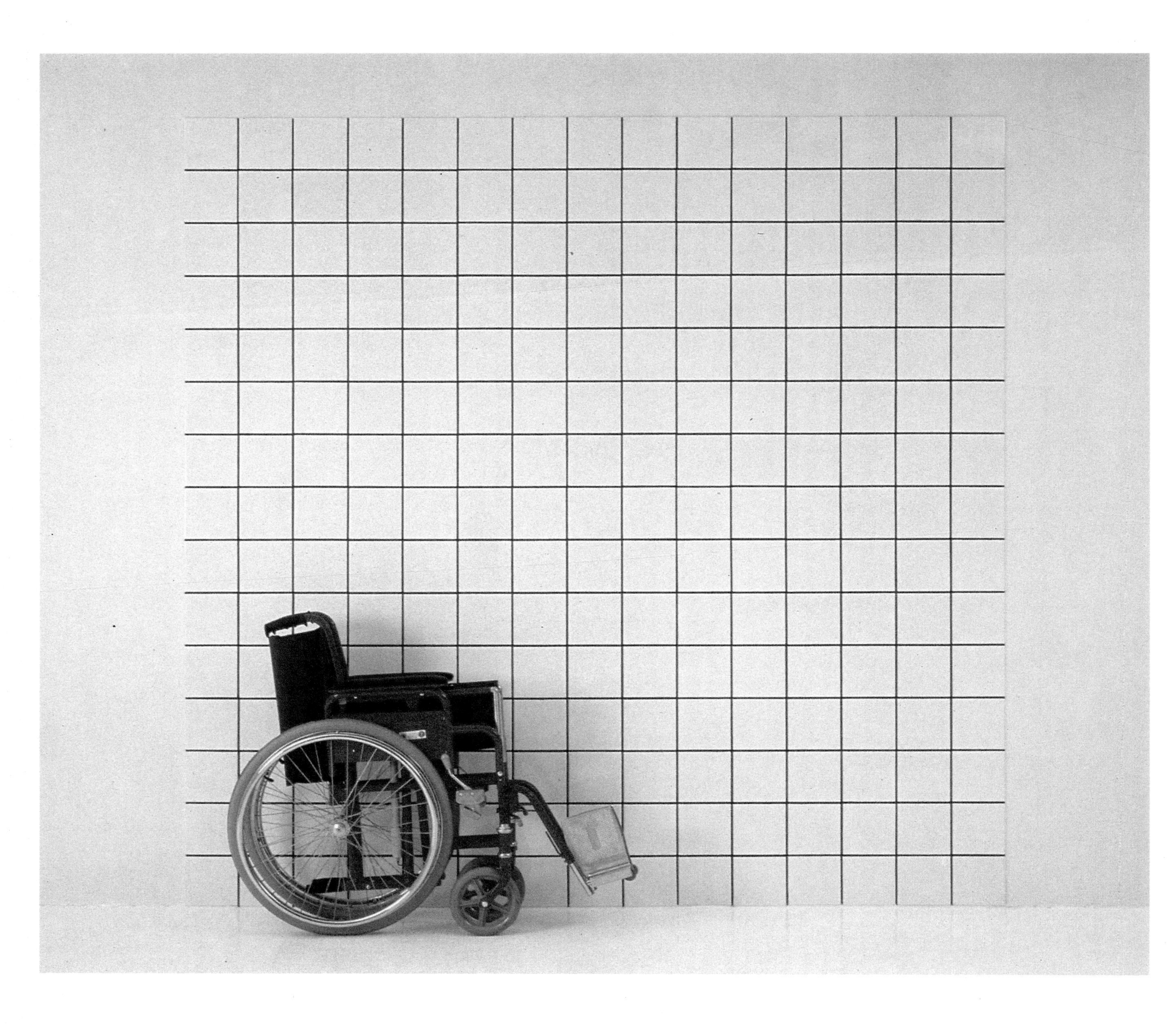

Jean-Pierre RAYNAUD

SANS TITRE. 1989. Carrelage, siège roulant.
UNTITLED. Tiling, wheelchair.
Courtesy Denyse Durand-Ruel, Paris.

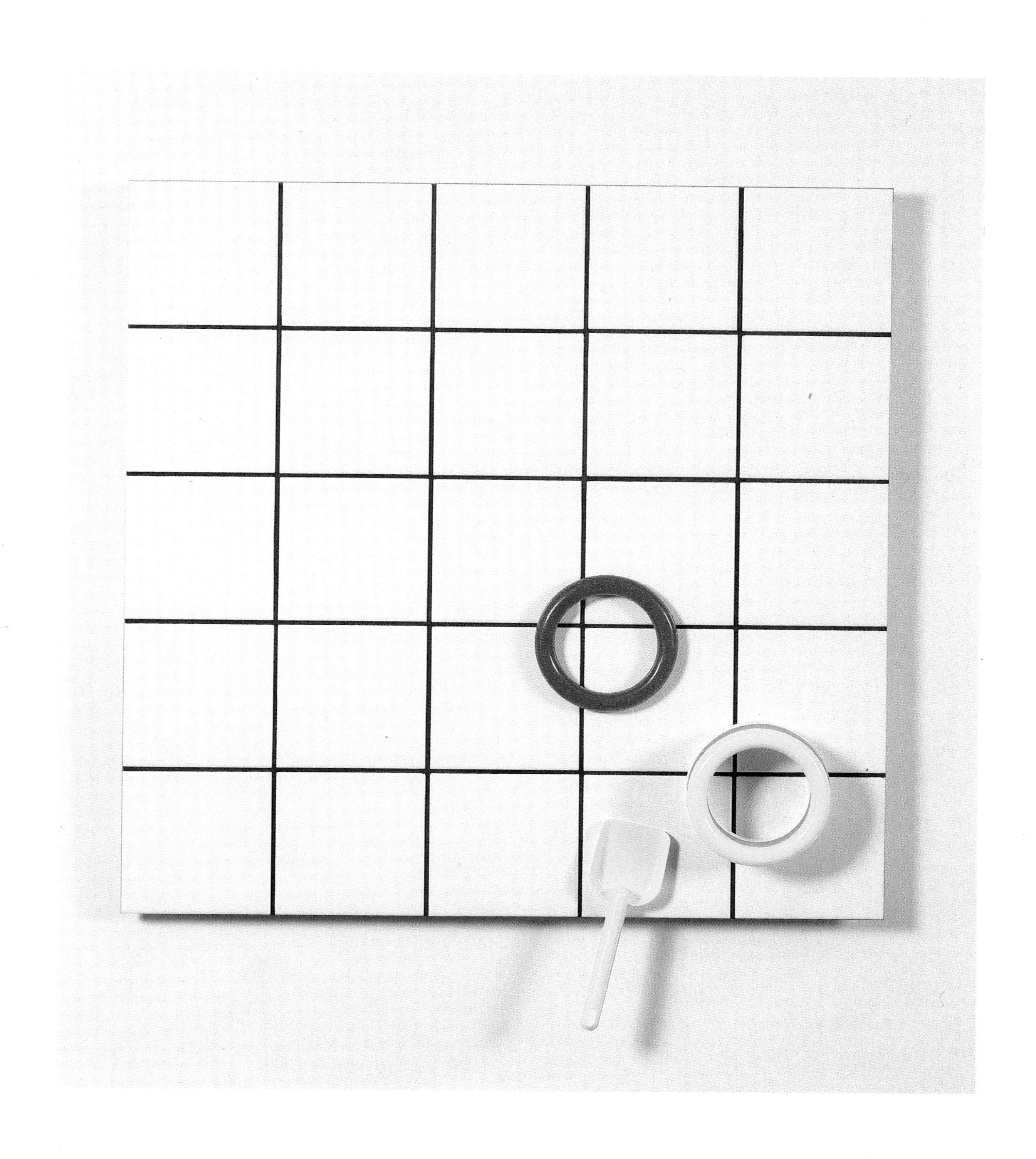

Jean-Pierre RAYNAUD

SANS TITRE. 1989. Carrelage, jouet.
UNTITLED. Tiling, toy.
Courtesy Denyse Durand-Ruel, Paris.

Richard SERRA est né le 2 novembre 1939 à San Francisco. Il vit et travaille à New York.

Richard Serra après des études artistiques dans les universités de Berkeley et de Santa-Barbara, à partir de 1961, travaille avec le peintre Albers dans son atelier à Yale, et collabore au livre de ce dernier, *The interaction of color.*
Grâce à une bourse de voyage, Serra passe un an à Paris, où il continue à peindre. Là, il découvre la sculpture de Brancusi et de Giacometti. Il séjourne ensuite en Italie et expose pour la première fois, à Rome, en 1966, des treillis géométriques en trois dimensions, sortes de cages emplies d'animaux vivants et empaillés, la peinture ayant cessé d'être pour lui, un moyen d'expression cohérent et privilégié.
De retour aux Etats-Unis, Richard Serra s'installe à New York, et réalise une série d'œuvres en caoutchouc et en néon. C'est au cours des années 68-70, que Serra affirme son orientation vers la sculpture.
Serra crée alors des œuvres en plomb, matériau qu'il utilise à la fois pour des moulages et pour des projections au sol. Il s'intéresse également au cinéma et réalise son 1er film, *Hans catching lead.* Serra construit alors ses premières sculptures en équilibre, *House of cards* (1969) et travaille une série de pièces reposant sur le principe de la découpe et de la dispersion. Il modifie l'échelle de ses œuvres et fait entrer le spectateur dans l'œuvre d'art lui proposant une véritable circulation physique comme avec *Circuit* (1972), constitué de quatre longues plaques d'acier corten disposées aux quatre coins d'une pièce. Dès lors le projet de Serra, qu'il s'agisse d'œuvres pour l'intérieur ou pour l'extérieur est conçu comme un rapport étroit entre la sculpture et le lieu auquel elle est destinée. "Le site détermine ma manière de penser sur ce que je vais construire, qu'il s'agisse d'un site urbain ou paysager, d'une pièce ou de quelque autre enceinte architecturale."

Richard Serra commence donc à travailler en extérieur, il crée notamment *Sight point* (1971-75) dans le jardin du Stedelijk Museum d'Amsterdam, longues plaques d'acier corten s'élevant verticalement.
En 1975, il reçoit le prix de la Skowegan School for Sculpture. En 1977, il expose à Amsterdam et l'année suivante à Tübingen et Baden-Baden. En 1979, il reçoit la commande d'une sculpture monumentale pour la Federal Plaza à Manhattan qu'il installe deux ans plus tard. *Tilted Arc,* longue courbe d'acier légèrement inclinée, révèle la faiblesse de l'architecture du lieu. L'œuvre déplait, un procès est intenté.
Richard Serra "défend" alors sa création définissant son intention plastique. "Mes sculptures ne sont pas des objets faits pour que le spectateur s'arrête et les contemple... *Tilted Arc* a été conçu pour les gens qui marchent et traversent la place, pour un observateur en mouvement. Comme son nom l'indique, une sculpture spécifique à un lieu est conçue et créée en relation avec les conditions particulières de ce lieu, et à ces seules conditions. Déplacer *Tilted Arc* revient donc à le détruire."
Désormais le travail de Serra est double, aux dimensions de musée : en 1983, il expose au Musée d'Art Moderne de Paris et monumental : *Clara-Clara,* deux courbes d'acier au square de Choisy, *Slat* à la Défense à Paris en 1985. Au cloître de Brou à Bourg en Bresse, deux blocs d'acier se font face à deux extrémités du cloître, rappelant les dimensions des éléments qui les entourent. "L'ordonnance de l'espace sera à nouveau perçue par la présence scultpturale." En 1986, le Museum of Modern Art de New York organise une rétropestive des sculptures de Richard Serra, dont le travail reste la même variation plus ou moins gigantesque des plaques d'acier.

After studying art at the universities of Berkeley and Santa-Barbara, Serra worked from 1961 with the artist Albers in his studio in Yale and contributed to the latter's book, *The interaction of colour.* Thanks to a scholarship Serra subsequently travel to Paris and spent a year there whilst still continuing to paint. It was in Paris that he discovered the sculpture of Brancusi and Giacometti. After Paris he spent some time in Italy and held his first exhibition in Rome in 1966. The works exhibited were made up of three-dimensional geometrical trellises, kinds of cages filled with live or stuffed animals, for Serra no longer saw painting as a coherent or privileged means of expression.
When he returned to the US he settled up in New York and produced his first works in latex and neon. In the years 1968-1970 Serra's preference for sculpture was confirmed with his works in lead, a material he particularly appreciated for its diversity and which he used at once in casting and in fragments on the ground. At this time he directed his first film, *Hans catching lead,* and produced his first stacking sculptures, such as *House of Cards* (1969), working on series of works employing the principle of cut-outs and dispersion. He changed the scale of his work, inviting the spectator to enter the work of art as in *Circuit* (1972), which proposes a true physical circuit in a space composed of four long corten steel plates set in the four corners of the room. From then on he has been conceiving his work, whether indoor or outdoor pieces, as a study on the relationship between sculpture and the site that will eventually house it: "The site determines my way of thinking about what I am to construct, whether it be an urban site or a landscape, a room or any other architectural enclosure". Therefore he began to work outdoors, and produced a notable piece for the garden of Amsterdam's Stedelijk Museum called *Sight Point* (1971-1975), a work composed of four corten steel plates set upright.
In 1975 he was awarded the prize of the Skowegan School for Sculpture. In 1977 he exhibited in Amsterdam and the following year in Tübingen and Baden-Baden. In 1979 he received a commission to produce a monumental sculpture for the Federal Plazza, Manhattan which he installed two years later. The sculpture, entitled *Tilted Arc,* is a long, slightly sloping steel curve and is intended to bring out the weaknesses of the architecture of the site. It did not go down well; legal proceedings were taken, Serra felt bound to "defend" his creation and set out his artistic intention: "My sculptures are not objects made for the spectator to stop and look at ... *Tilted Arc* was created for people walking across the plazza, observers in motion. As its name suggests, a sculpture for a site is conceived and created in relation to the particular conditions of that site, therefore in view of these conditions, to remove *Tilted Arc* would be tantamount to destroying it".
Henceforward Serra's work is dual in nature, at once built in museum size and monumental: in 1983 he exhibited at the Museum of Modern Art of the City of Paris, installed *Clara-Clara*, two steels curves, in the Square de Choisy (Paris, 13th district) and produces *Slat* for La Defense (Paris) in 1985.
In the Brou Cloister in Bourg en Bresse (France) he installed two blocks of steel at opposite ends of the cloister, drawing attention to the size of the elements surrounding them. He expressed his intentions thus: "The lay-out of the space will be perceived once again through the sculptural presence." In 1986 New York's Museum of Modern Art organized a retrospective of his sculptures. Using variations, Serra's works still resides in gigantic steel plates.

Richard SERRA

TRANCHE. 1980. Acier.
SLICE. Corten steel.
Courtesy Leo Castelli Gallery, New York.

MARILYN MONROE-GRETA GARBO. 1981. 4 plaques d'acier.
MARILYN MONROE-GRETA GARBO. 4 plates of corten steel.
Courtesy Leo Castelli Gallery, New York.

Richard SERRA

ARC INCLINÉ. 1981. Acier.
TILTED ARC. Corten steel.
Courtesy Leo Castelli Gallery, New York.

Richard SERRA

SANS TITRE. 1986. Acier.
UNTITLED. Corten steel.
Courtesy Leo Castelli Gallery, New York.

Richard SERRA

APPELEZ MOI ISHMAEL. 1986. Acier.
CALL ME ISHMAEL. Corten steel.
Courtesy Leo Castelli Gallery, New York.

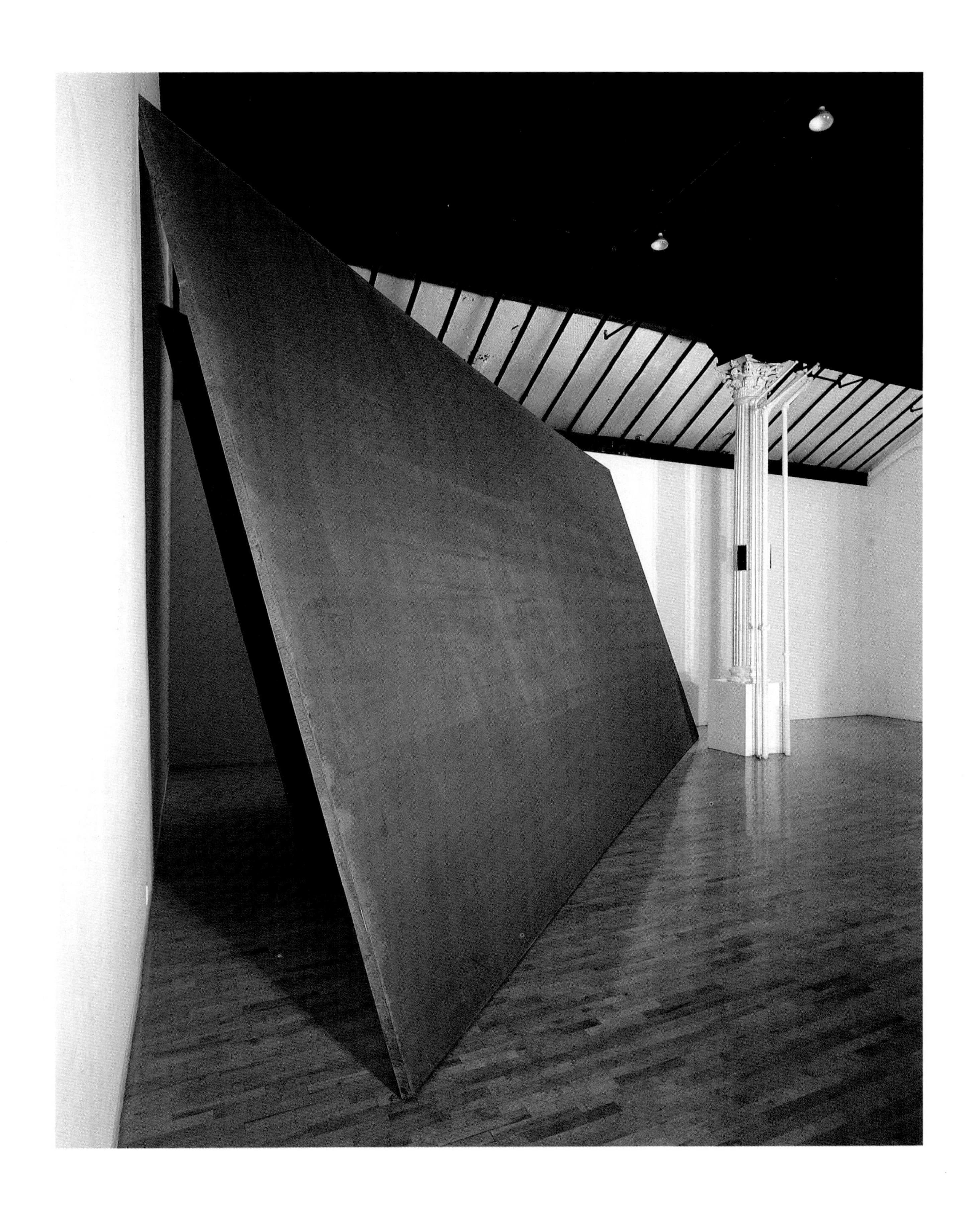

AU PIED DU MUR. 1987. Acier.
CORNERED. Corten steel.
Courtesy Leo Castelli Gallery, New York.

ETAI AU CAP BRETON. 1988. Acier.
CAPE BRETON PROP. Corten steel.
Courtesy Leo Castelli Gallery, New York.

Richard SERRA

ETAI A KEYSTONE. 1987. Acier laminé.
KEYSTONE PROP. Hot rolled steel.
Courtesy Leo Castelli Gallery, New York.

Jean TINGUELY est né à Fribourg en Suisse, en 1925. Il vit et travaille en Suisse et dans la région parisienne.

De 1941 à 1945, tout en faisant son apprentissage de décorateur, Jean Tinguely suit les cours de l'Ecole des Beaux-Arts de Bâle. Il peint alors des toiles abstraites et réalise des sculptures en fil de fer. En 1953, il s'installe à Paris, à cette époque il crée, s'inscrivant dans le mouvement de l'art cinétique, ses premières *méta-mécaniques,* sortes de reliefs mobiles esthétiques. Dans ces séries d'œuvres comme dans *Sculpture méta-mécanique automobile* (1954), la "machine" objet vivant, jovial devient une partie essentielle. "La machine est un instrument qui me permet d'être poétique. Si vous respectez la machine, si vous entrez dans son jeu, peut-être vous pouvez en faire une machine joyeuse, par joyeuse, je veux dire libre."
En 1954, sa première exposition personnelle a lieu à Paris et l'année suivante il participe avec le groupe des artistes cinétiques à l'exposition "Le Mouvement", à la Galerie Denise René. Tinguely travaille ensuite en collaboration avec Yves Klein pour *Vitesse pure et stabilité monochrome* (1958) et *Concert pour sept peintures* (1958-59), œuvre dans laquelle il introduit une nouvelle donnée, celle du son. Désormais les sculptures de Tinguely prennent le sens d'un véritable spectacle visuel et sonore. En 1959, à Londres, pour son premier "Happening", Tinguely présente sa *Méta-matic,* une machine à dessiner qui produit sous les yeux du spectateur une œuvre abstraite. L'année suivante c'est à New York que l'artiste organise une action spectaculaire montrant sa distance et sa dérision vis à vis de l'histoire de l'art, il invente cette fois, une machine autodestructrice qui se démantèle devant le public du Museum of Modern Art. Le 27 octobre 1960, Tinguely participe à la création du groupe des Nouveaux Réalistes par Pierre Restany.
Pour la réalisation de ses sculptures, Tinguely utilise maintenant dès la série *Baluba,* des déchets et toutes sortes d'objets de rebuts, pièces disparates, soudés et articulés. En 1964, il crée en réponse à une commande pour l'exposition nationale de Lausanne, une machine monumentale, *Eurêka,* aujourd'hui installée à Zurich, première d'une longue série d'œuvres gigantesques. En 1966, il travaille avec sa compagne Niki de Saint-Phalle, à *La Hon,* femme géante en carton plâtre dans laquelle on peut pénétrer, présentée au Moderna Museet de Stockholm. Puis ils réalisent ensemble *Le Paradis* pour l'Exposition universelle de Montréal en 1967.
Au début des années 70 Jean Tinguely construit *La Vittoria,* nouvelle machine autodestructrice créée à Milan à l'occasion du 10ème anniversaire du Nouveau Réalisme poussant à l'extrême sa démarche iconoclaste d'antisculpteur, puis il conçoit la fabrication du *Monstre,* un environnement situé dans la forêt de Fontainebleau, projet auquel de nombreux artistes collaborent et qui reste inachevé à ce jour. Tinguely entreprend des œuvres monumentales sonores comme *Méta-Harmonie,* en 1977, il construit le *Crocodrome* au centre Georges Pompidou, il crée également plusieurs fontaines pour la ville de Bâle en 1981 et à Paris en 1983 le bassin de la place Stravinsky près du Musée d'Art Moderne à Beaubourg en collaboration avec Niki de Saint-Phalle. Au cours de ces dernières années, Tinguely participe à de nombreuses grandes expositions internationales et des prestations à la "Westkunst" de Cologne en 1981 à la Biennale de Paris en 1985, et en 1986 à "1960 : Les Nouveaux Réalistes" au Musée d'Art Moderne de la Ville de Paris, puis à sa rétrospective en 1988 au centre Georges Pompidou à Paris, événements qui marquent sa présence encore exemplaire dans la création contemporaine.

was born in 1925 in Freiburg, Switzerland. He lives and works in Switzerland and the Paris area.

From 1941 to 1945, while training as a decorator, he attented the Basel School of Fine Arts. His first productions include sculptures of wire along with abstract paintings. In 1953 he settled down in Paris and, taking his inspiration from the Kinetic Art movement, began to produce his very first meta-machines, contraptions that can be best described as artful mobile reliefs. By ironically incorporating an engine into these geometrical devices, Tinguely distanced himself from their apparent solemnity. In a series of works such as *Sculpture méta-mécanique automobile* (1954), the machine, a live, jocular object, became part and parcel of his work.
In his own words: "the machine is an instrument of poetry. As long as you respect it and play its game, you can hope to turn any machine into a thing of joy, by which I mean a thing of freedom". 1954 was the year of his first solo exhibition - in Paris. The following year he took part, along with the Kinetic Artist group, in the exhibition *Le Mouvement* at the Denise René Gallery. In 1958-9 he worked in collaboration with Yves Klein on *Vitesse pure et Stabilité monochrome (Concert for Seven Paintings),* which marked the introduction of a new element in his works - sound. Henceforth his sculptures will assumed a full audio-visual quality.
In 1959, on the occasion of his first happening, he presented his *meta-matic* in London. This was a drawing machine capable of turning out an abstract work in front of the viewers' eyes. The following year he staged another spectacular event, this time in New York. Mocking the history of art, he devised an autodestructive machine which fell to pieces before the audience of the Museum of Modern Art.

On October 27 1960, he is was Pierre Restany's side to set up the New Realists group. From *Baluba* on, he incorporated in his work all kinds of discarded materials, trash, disparate objects welded together and articulated.
In 1964, in response to a commission from the Lausanne National Exhibition, he built *Eureka*, a monumental machine (now in Zurich), the first in a series of gigantic works.
In 1966, with his companion Niki de Saint-Phalle, he worked on *La Hon,* a giant woman in plasterwork which viewers could enter and exhibited at Stockhlom's Moderna Museet.
Another work they produced together was *Le Paradis,* for Montreal's world fair in 1967. In the early 70s, to mark the tenth anniversary of New Realism, he created *La Vittoria,* another self-destroying machine and, taking his iconoclastic, anti-sculpture stance to extremes, he proceeded to build his *Monster*, an environment set in the Fontainebleau Forest in which many artists also took part and which has remained unfinished to this day. He then moved on to monumental sound works such as *Meta-Harmonie,* built the *Crocodrome* at the Pompidou Center in Paris (1977) as well as a number of fountains for the City of Basel (1981) and one on the Stravinsky Square still in the vicinity of the Museum of Modern Art at the Pompidou Centre in collaboration with Niki de Saint-Phalle (1983). Even today, his participation in major international exhibitions such as Cologne's "Westkunst" (1981), the Paris Biennale of 1985, the exhibition "Les Nouveaux Réalistes" of the Museum of Modern Art of the City of Paris (1986) and the retrospective of his works at the Pompidou Centre, testifies to his continuing crucial role in contemporary art.

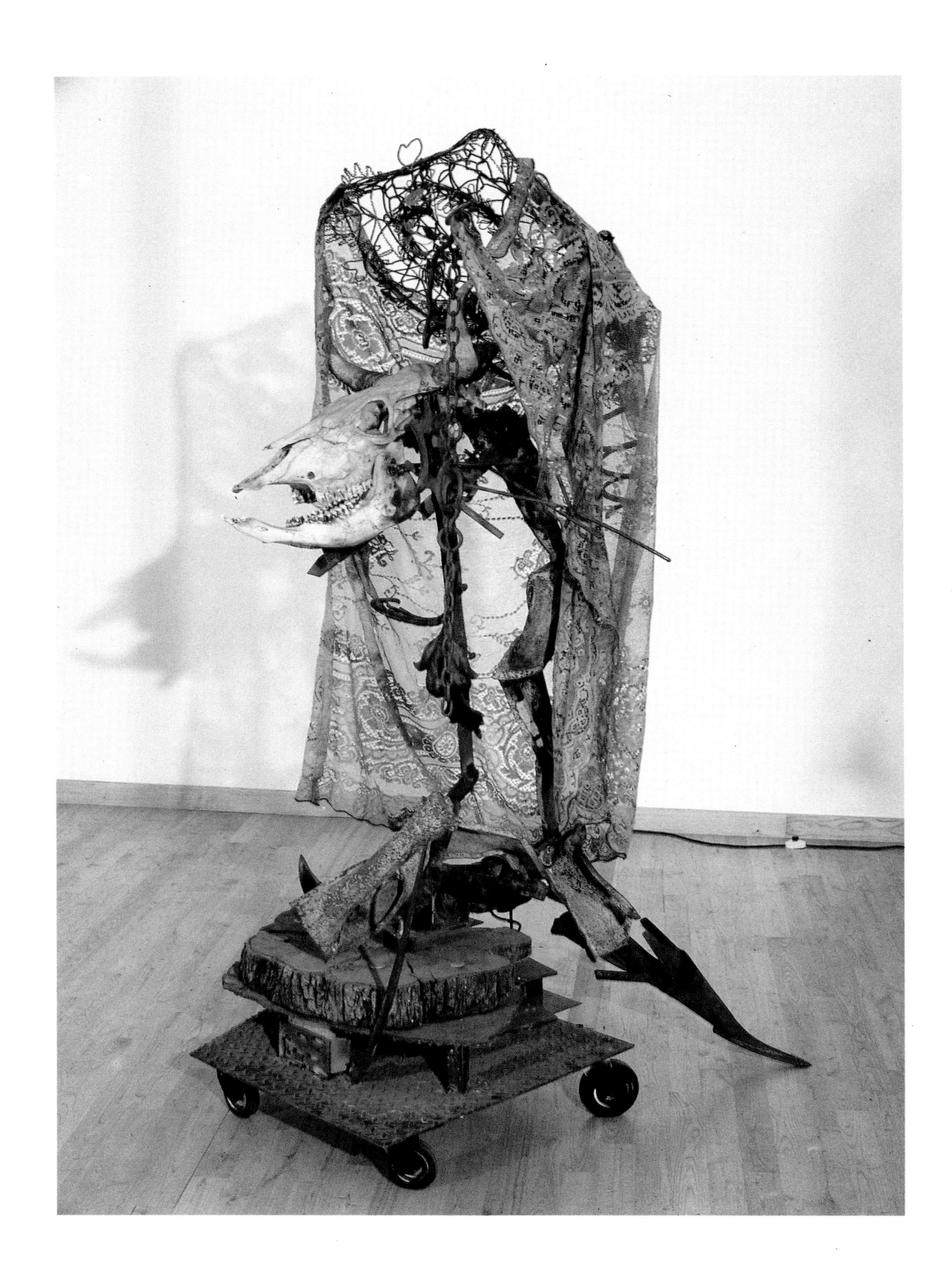

Jean TINGUELY

LA VEUVE DU BOUCHER. 1984. Crâne de bovin, éléments divers. 200 x 125 x 100.
THE BUTCHER'S WIDOW. Ox skull, miscellaneous.
Courtesy Marianne et Pierre Nahon, Galerie Beaubourg, Paris.

LA VEUVE DU BOUCHER. 1984. Crâne de bovin, éléments divers. 200 x 125 x 100.
THE BUTCHER'S WIDOW. Ox skull, miscellaneous.
Courtesy Marianne et Pierre Nahon, Galerie Beaubourg, Paris.

Jean TINGUELY

LA PETITE ROSE. 1985. Fer. 90 x 90 x 90.
THE LITTLE ROSE. Iron.
Courtesy Marianne et Pierre Nahon, Galerie Beaubourg, Paris.

Jean TINGUELY

MASQUE. 1987. Métal, bois, moteur électrique. 150 x 50 x 60.
MASK. Metal, wood, electric engine.
Courtesy Marianne et Pierre Nahon, Galerie Beaubourg, Paris.

Jean TINGUELY

SOLEIL TOURNANT. 1989. Métal, moteur, lumière.
SPINNING SUN. Metal, engine, light.
Courtesy Marianne et Pierre Nahon, Galerie Beaubourg, Paris.

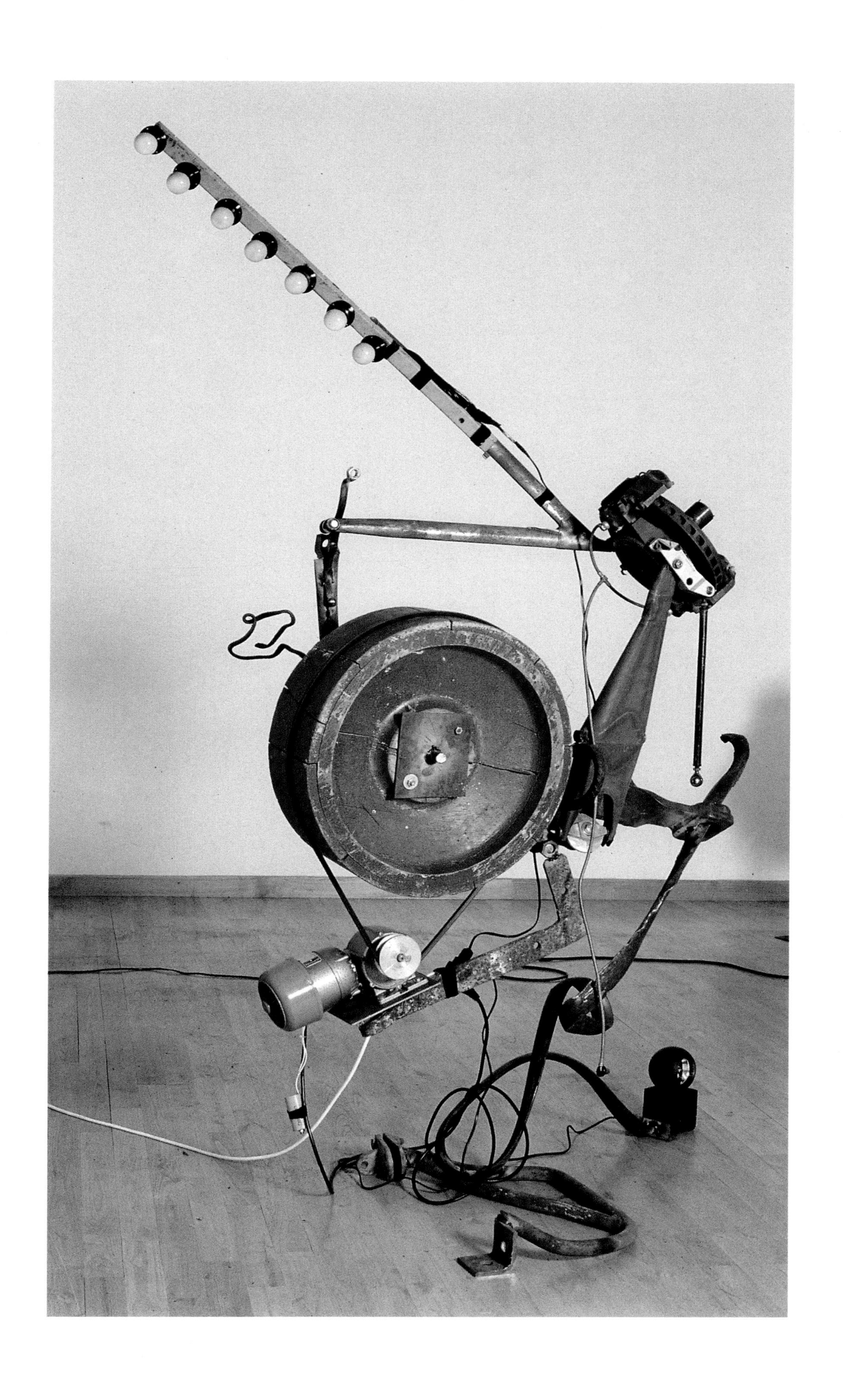

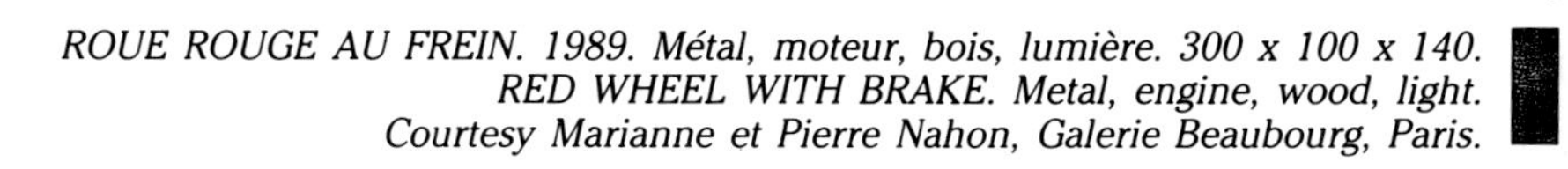

ROUE ROUGE AU FREIN. 1989. Métal, moteur, bois, lumière. 300 x 100 x 140.
RED WHEEL WITH BRAKE. Metal, engine, wood, light.
Courtesy Marianne et Pierre Nahon, Galerie Beaubourg, Paris.

VEUF DE LA BOUCHÈRE. 1989. Crâne de bovin, métal, moteur, lumière. 210 x 200 x 120.
THE WIDOWER OF THE BUTCHER'S WIFE. Ox skull, metal, engine, light.
Courtesy Marianne et Pierre Nahon, Galerie Beaubourg, Paris.

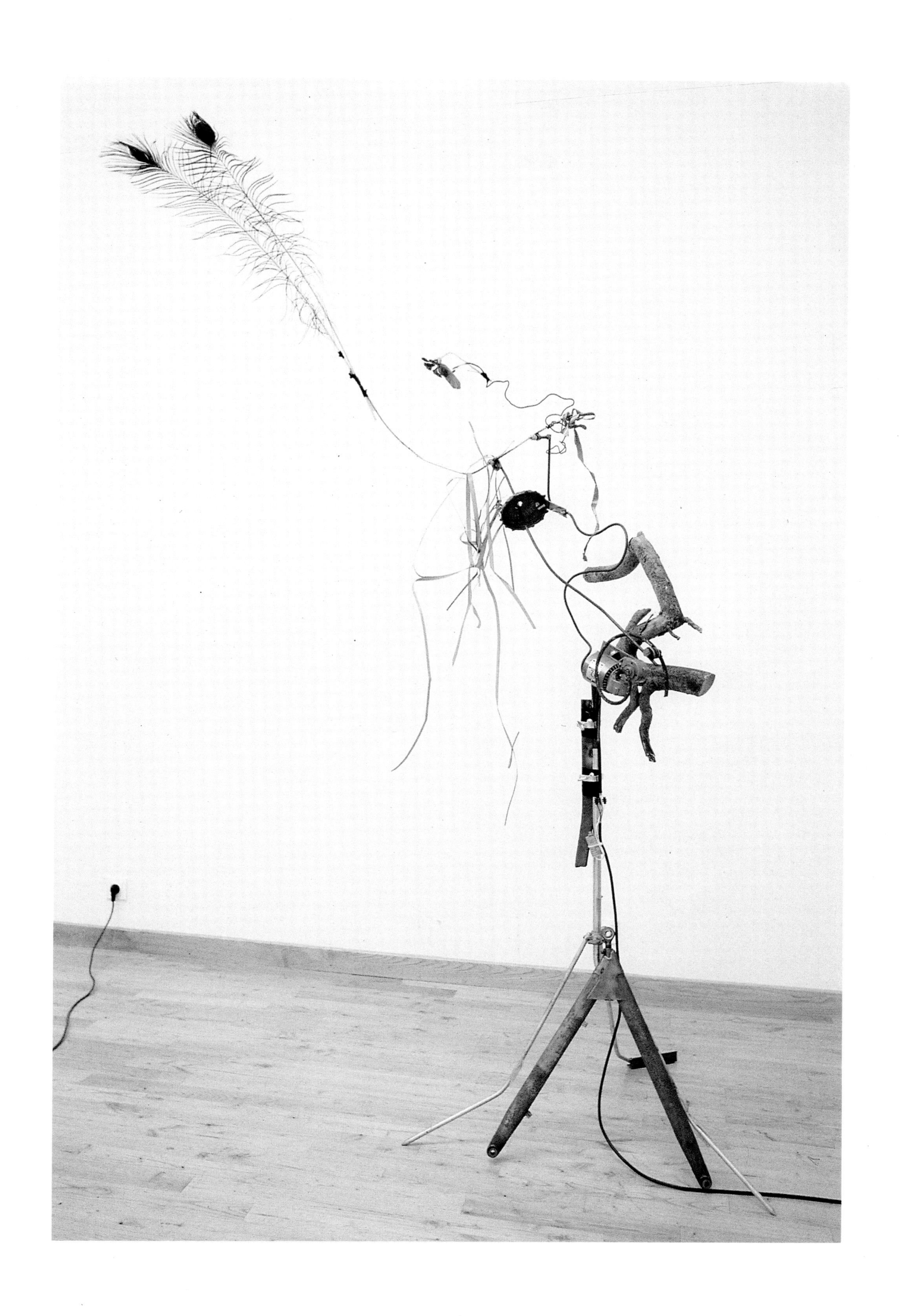

LA DEMI MONDAINE. 1989. Métal, moteur, pacotille. 350 x 100 x 80.
THE DEMI-MONDAINE. Metal, engine, triflings.
Courtesy Marianne et Pierre Nahon, Galerie Beaubourg, Paris.

Bill WOODROW est né en 1948, à Henley (Grande-Bretagne). Il vit et travaille à Londres.

Après avoir suivi les cours de Winchester School of Art, Bill Woodrow s'installe à Londres. Il étudie de 1968 à 1971 à St Martin's School of Art, puis à Chelsea School of Art, l'école de la nouvelle génération, de la nouvelle sculpture. Ses premières œuvres, autour du thème de la nature, portent un regard critique sur le travail de ses contemporains. Reprenant le cercle, motif de Richard Long, en 1970, Bill Woodrow dresse un cercle de miettes au sol. Les oiseaux picorent le pain, rompant ainsi la régularité du tracé... Rapidement Woodrow interrompt sa création et pendant six ans se consacre uniquement à l'enseignement. En 1970, Woodrow commence à collecter les objets usagés, les déchets. L'objet trouvé devient l'élément constitutif de son œuvre. "Les gens laissent des choses dans la rue, sur des espèces de décharges. Dans ce sens, il s'agit de matériaux jetés et trouvés. Quand j'ai commencé à les ramasser, je faisais une sorte de sélection : des appareillages électriques de consommation, des objets ménagers contenant les qualités formelles particulières avec lesquelles j'aimerais bien travailler". Ainsi, les premières réalisations de Woodrow évoquent la technique de la marquetterie, il utilise dans un premier temps une enveloppe de béton dans laquelle des objets de récupération sont inclus et ensuite, par un arrachage ou par tronçonnage de la matière, Woodrow révèle les "vestiges" du monde moderne. Bill Woodrow abandonne assez rapidement cette pratique qu'il juge trop systématique et en 1980, avec *New Object,* un arrangement d'éléments d'objets ménagers, télévision, mixer, réfrigérateur... dès ce moment, dans son travail il se contente de greffer des objets leur retirant toute référence au quotidien. Les sculptures de Woodrow deviennent plus complexes : à partir du découpage d'un matériau de récupération comme la tôle d'un sèche-linge dans *Red squirrel* (1981) par exemple, il crée, ici un écureuil. L'œuvre reste très liée à la vie quotidienne par le matériau lui-même qui demeure objet du réel. Seule la figure créée est peinte. De la rencontre du quotidien et de la fiction va naître une "histoire". Cette "histoire" que Woodrow met en scène dans ses arrangements est une véritable critique et mise en accusation de la société de consommation, la précarité de l'objet est soulignée, le modernisme tourné en dérision. En 1982, la Lisson Gallery à Londres organise une importante exposition de l'œuvre de Woodrow, puis en 1983, le Musée d'Art Moderne de la Ville de Paris. Le travail de Bill Woodrow se transforme sans cesse, l'artiste avoue craindre l'enfermement dans une technique. Dans ses créations les plus récentes, la transformation de l'objet est moins sophistiquée, elle fait appel outre au découpage, à des soudures plus classiques. Le contenu narratif de l'arrangement devient essentiel.

After attending a course at the Winchester School of Art, Woodrow settled in London. From 1968-1971 he was a student at St. Martin's School of Art then at the Chelsea School of Art, the meeting-place of the generation of new sculptors. In his first works on the theme of nature he cast a critical eye over the work of his contemporaries. In 1970 he reworked Richard Long's "circle" motif by drawing a circle of breadcrumbs on the ground. The crumbs were pecked up by the birds, thus shattering the regularity of the outline. Woodrow soon broke off with creation and for six years was involved solely in lecturing. In 1970 he began collecting discarded objects and rubbish and from then on the discarded object became the fundamental element in his work: "People throw things out into the street on some kind of rubbish heap. In this much the material can be said to be discarded and reprieved. When I first began to pick things up, I used to make a kind of selection; I would only take electrical consumer goods or household appliances that contained the particular formal qualities I wanted to work with". Thus Woodrow's first transformations conjure up the technique of marquetry in his implantations of various materials into a compact volume. He first of all used a concrete case in which the discarded objects were inserted. Then, by tearing out or cutting up the material, Woodrow was able to reveal in this way the "remains" of our modern world.
He was soon to leave off this technique, which he considered too systematic, and in 1980 he finished his *New object*, an arrangement of elements from household appliances - television sets, mixers, refrigerators. Onwards from this period in his work, Woodrow simply grafted the objects, removing any reference they might bear to everyday life.
His sculptures were to become increasingly complex: from the cutting-up of discarded material such as the metal sheets of a tumble-dryer, in *Red Squirrel* (1981) he created a figurative volume. The work of art remained inexorably linked to everyday life through the material itself which remained an object of the real. Only the figure produced was painted. From the encounter of the everyday and fiction, a "story" was born. This "story" that Woodrow illustrated in his arrangements is a critical approach, a true condemnation of the consumer society where the transience of the object was emphasised and modernity was derided.
In 1982 the Lisson Gallery in London, then in 1983 the Museum of Modern Art of the City of Paris, organized considerable exhibitions of his work. Bill Woodrow submits his work to constant transformation owing to his fear of being hemmed in by a single technique. In his most recent works the transformation of the object is less sophisticated; as well as cutting he now uses more traditional techniques of soldering. Which is why the narrative content of the arrangement takes on an essential role.

Bill WOODROW.

SANS TITRE. 1981.
UNTITLED.
Courtesy Lisson Gallery, London.

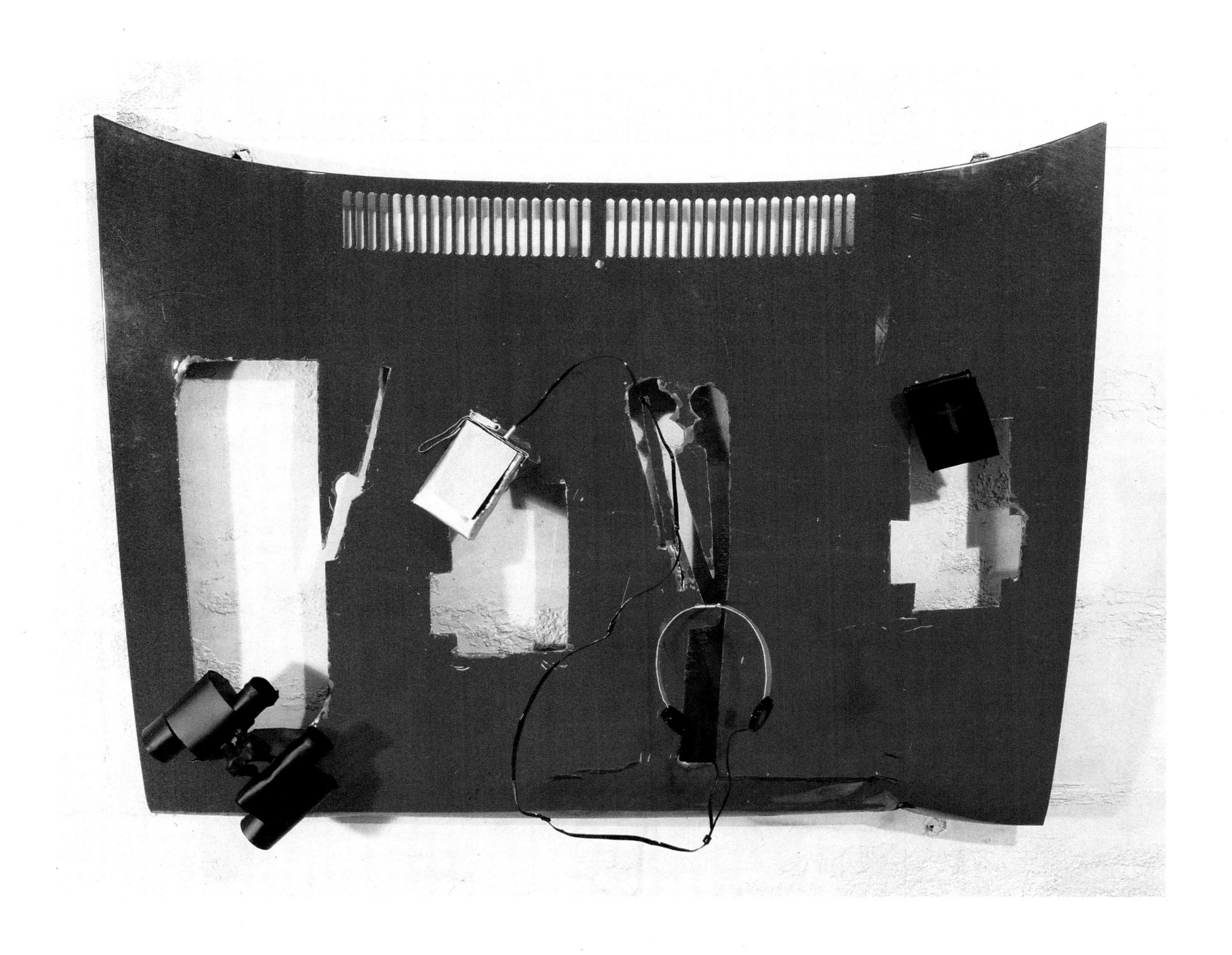

Bill WOODROW

VOIR, ENTENDRE, CROIRE. 1982-83.
SEEING, HEARING, BELIEVING.
Courtesy Lisson Gallery, London.

Bill WOODROW

BOEING. 1983. 180 x 320 x 180.
BOEING.
Courtesy Lisson Gallery, London.

Bill WOODROW

L'ANE BLEU. 1984. 405 x 100 x 300.
BLUE MONKEY.
Courtesy Lisson Gallery, London.

Bill WOODROW

AUTOPORTRAIT A L'ÈRE ATOMIQUE. 1986. 202 x 250 x 184.
SELF PORTRAIT IN THE NUCLEAR AGE.
Courtesy Lisson Gallery, London.

L'ATTRAIT DE LA CIVILISATION. 1987. 400 x 120 x 230.
THE LURE OF CIVILIZATION.
Courtesy Lisson Gallery, London.

Bill WOODROW

CATERPILLAR. 1989. 89 x 124 x 90.
CATERPILLAR.
Courtesy Lisson Gallery, London.

L'AVIRON DE VERRE. 1989. 252 x 313 x 197.
THE GLASS OAR.
Courtesy Lisson Gallery, London.

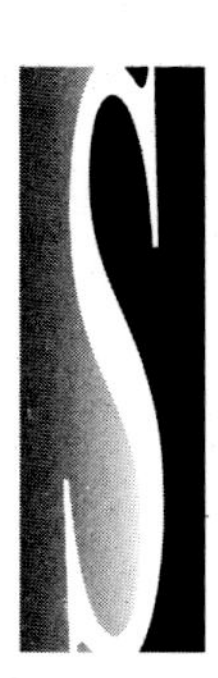

CRÉDIT PHOTOGRAPHIQUE / ILLUSTRATIONS

C. ABATE — SHIGEO ANZAÏ — PETER COX — PRUDENCE CUMING ASS — FREDERIC DELPECH — P. GOETELEN — BÉATRICE HATALA — KONSTANTINOS IGNIATIDIS — ISO — D. L'HONOREY— NICHOLAS LOGSTAIL — P. MAURER — ANDRÉ MORIN — PAOLO MUSSAT SARTOR — MICHEL N'GUYEN — SUSAN ORMEROD — J.-M. ROUTHIER — T. ROYNELAND — ADAM RZEPKA — PHILIPP SCHONBORN — WOLFGANG VOLF — GARETH WINTERS — DOROTHY ZEIDMAN — WERNER ZELLIEN

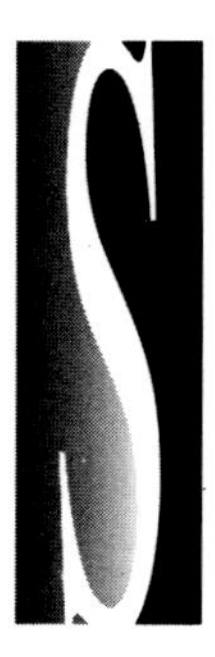

MÉMOIRE DES ANNÉES 80 — 4
MEMORY OF THE EIGHTIES
Catherine FLOHIC

PLUS VASTE QUE LA PEINTURE ET BEAUCOUP PLUS VASTE QUE LA SCULPTURE... — 8
LARGER THAN PAINTING AND MUCH LARGER THAN SCULPTURE...
Jean-Luc CHALUMEAU

Joseph BEUYS	12
Christian BOLTANSKI	22
Daniel BUREN	32
CHRISTO	42
Tony CRAGG	52
Richard DEACON	62
Barry FLANAGAN	72
Dan FLAVIN	82
Yannis KOUNELLIS	92
Sol LEWITT	102
Richard LONG	112
Markus LÜPERTZ	122
Mario MERZ	132
Mimmo PALADINO	142
Giulio PAOLINI	152
A.R. PENCK	162
Jean-Pierre RAYNAUD	172
Richard SERRA	182
Jean TINGUELY	192
Bill WOODROW	202

EIGHTY PUBLICATIONS

Conception graphique/Graphic design
Caroline PAJOT-TARASKOFF

Réalisation/Conception
Isabelle MILHIET

Responsable fabrication/Graphic Editor
Véronique BEAUFILS

Photocomposition/Composition
ETNA Productions

Photogravure/Photoengraving
FOTIMPRIM

Imprimé en Belgique par l'Imprimerie CAMPIN
Printed in Belgium by Imprimerie CAMPIN

Dépôt légal 3e trimestre 1990
ISBN 2 908 787 008